「誤解」の日本史

井沢元彦

PHP文庫

○本表紙図柄＝ロゼッタ・ストーン（大英博物館蔵）
○本表紙デザイン＋紋章＝上田晃郷

「誤解」の日本史　目次

序章　『日本書紀』は信用できるのか　9
▼日本の歴史学への疑問
「あなたは、企業の創業者が身内に書かせた社史を頭から信用しますか?」

第一章　邪馬台国の〝台〟はなぜ「タイ」と読むのか　31
▼古音や言語学から考える歴史
「あなたは、なぜ〝行動〟を『こうどう』、〝行灯〟を『あんどん』と読むのか、知っていますか?」

第二章　聖徳太子はなぜ憲法十七条を制定したのか　43
▼何事も話し合いで決める日本人の行動原理
「あなたは、なぜ日本人は談合を好むか、知っていますか?」

第三章　奈良の大仏はなぜ「捨てられた」のか　61
▼日本社会の基礎にある怨霊信仰
「あなたは、今使っているテレビが壊れた場合、新しいものに替えることを普通だと思いませんか?」

第四章　『源氏物語』はなぜつくられたのか　77
▼日本人の文学による怨霊鎮魂
「あなたは、阪神タイガースの球団事務所にいる女性が『光ジャイアンツ物語』を書くなんていうことが信じられますか?」

第五章　源実朝はなぜ暗殺されたのか　93
▼仮説から結論を導き出す方法
「あなたは、労働組合の代表が会社社長と仲良くしていることを許せますか?」

第六章　足利義満はなぜ突然死したのか　115
▼史料を疑うことで見えてくる真相
「あなたは、ある資産家が病気で死ぬことが分かったとき、その人が何も言い残さずに死んでいくことがあり得ると思いますか？」

第七章　山本勘助はなぜ実在を否定されたのか　131
▼近代実証史学の最大の犠牲者
「あなたは、息子が書いた父親の伝記に悪口が書いてあると思いますか？」

第八章　上杉謙信は武田信玄と一騎打ちをしたのか　147
▼歴史を見えなくさせる権威主義
「あなたは、『スパイダーマン』がどんな人物か知っていますか？」

第九章　僧侶はなぜ武器を捨てたのか　165
▼「政教分離」の知られざる信長の功績
「あなたは、なぜお坊さんは丸腰だと信じているのですか？」

第十章　織田信長は宗教弾圧者か　199
▼歴史に対する大きな認識不足と誤解
「あなたは、八百長で恥をかかされて、平然としていることができますか？」

第十一章　豊臣秀吉はなぜ朝鮮出兵をしたのか　217
▼史料からは見ることができない歴史の裏側
「あなたの周りには物事が上手くいっている時は文句を言わなかったのに、失敗した途端に『俺はやっぱり失敗すると思っていた』と言う人はいませんか？」

第十二章　徳川綱吉は本当にバカ殿か　237
▼表面的なあり方にとらわれている歴史学
「あなたは、人間の意識革命をするためには、劇薬が必要なことを知っていますか？」

第十三章　徳川吉宗は本当に名君か　259
▼経済から考えるまったく異なる人物評価
「あなたは、民間がお金をたくさん使うことで、国が豊かになるのを知っていますか？」

第十四章　田沼意次は本当に汚職政治家か　275
▼昔ながらのイメージがぬぐいされない理由
「あなたは、日本の政府がカジノや売春業で国家財政をうるおすことに賛成できますか？」

第十五章　明治維新はなぜ十五年もかかったのか　293
▼朱子学による非現実的な空理空論
「あなたは、数百年前の防犯・防災道具が今の時代で使えると思いますか?」
あとがき
文庫版あとがき

序章

『日本書紀』は信用できるのか

▼日本の歴史学への疑問

「あなたは、企業の創業者が身内に書かせた社史を頭から信用しますか？」

●日本の歴史学は常識が欠落している

歴史学者が書いた「日本の歴史　全〇巻」と称するような通史は世の中に氾濫《はんらん》し、研究者が書いた歴史概説書の類も、どこでも目にすることができます。ところが私は、そういう歴史学者が書く歴史像に大変不満を持っています。

歴史学の専門家になる人は、大学は文学部の歴史学科を出て、大学院で専門教授の指導を受けるなど、専門教育と訓練を大いに積んでいます。史料の読み方にしても生《なま》の原典に当たるという訓練を経ているわけで、こういうことに関しては素人《しろうと》が逆立ちしてもかないません。

たとえば私も、原史料の読み比べなどをやれば、歴史学の先生方にはまったくかなわないですし、そこで争うつもりもありません。では専門家に任せておけばいいじゃないか、と言われるかもしれませんが、実はその専門家の描く歴史には、大きな問題点があるのです。

というのは専門家ゆえに、ということになりますが、あまりにも細部、あるいは専門的な知識にとらわれすぎていて、〝人間の常識〟という観点から歴史を見ていない傾向があるのです。

歴史というのは、もちろん人間が織りなすものですから、歴史を描くときには人間に対する常識というのが必要なわけです。歴史には他の学問、たとえば生物学や物理学といった自然科学や人間以外の外在的なものを対象とする学問と違い、特に「人間」というものに対する常識がないと、解釈を誤る部分が大きいのです。

ところが私の目から見ると、歴史学の先生方は、誤解を怖れずに言えば〝人間の常識〟に欠けている人が実に多いと思われます。

それは具体的に言いますと、何かの専門家と称する人に見られがちな傾向ですが、その分野についてはエキスパートだとしても、逆に言うと、その分野一筋に長年、打ち込んできてしまったために、それ以外の世界についてはきわめて疎《うと》いというきらいがあります。いわゆる「専門バカ」ということです。

歴史上の人物は、当たり前の話ですが、われわれと大差ない一人の人間です。ですから、その行動や思考において傑出したものがあったにせよ、その本質においては共通するものがあるはずです。社会もまた同じで、たとえ時代が変わっても、同じ人間が織りなす社会である限り、天地がひっくり返るほどの違いは、そうそうあるものではありません。

ところが、歴史学者という人たちは、常に史料に目を向けるという職業的習性があるため、史料が語るものだけに目を向けて、自分たち、あるいは先輩たちが作り上げてきた方法論にしたがって、その史料を解釈します。ところが、そうした方法論や専門の学者特有の視点で歴史を描こうとすると、どうしても人間としての当たり前の常識から遊離《ゆうり》してしまい、本当の事実から遠ざかり、歴史学界の〝常識〟に照らしてうまく合致し、上手に説明のつく「事実」を導き出してしまうわけです。もし当の歴史学者に一人の人間としての常識が欠落しているならば、それはある意味当然のことでしょう。

本書の意図するところは、現代の歴史学が見落としている〝事実〟を、〝人間の常識〟に照らして明らかにし〝誤解〟を解き、素人でもよく分かるよう、実例に即して紹介するということです。

この場合の「常識」とは、「知恵」と言い換えてもいいかもしれません。「知識」というのは学校の授業でも、図書館でも学べます。ところが、「知恵」というのは、机上の知識に過ぎなかったものを、人間社会の中で上手く使われるように発酵し、醸成《じょうせい》させたものであるというのが、私の考え方です。

ですから、その「知恵」というものは、人間社会に積極的に関与していく——具体的には市井《しせい》で人に交わるとか、あるいはいろいろなサークル活動に参加するとか、そういうことをしないと身につかないものなのです。

ところが、歴史学者のように、象牙の塔の中で文献だけを相手に研究をしていると、人間社会との関わりはどうしても希薄にならざるを得ません。では「知恵」＝「人間の常識」という観点から改めて歴史を見直してみると、何が見えてくるか、通説や歴史学の常識とされているものが、どのように変わっていくかということを、一つひとつ具体例を挙げて解き明かしていきたいと思います。

●官報は本当に信用できるのか

一番分かりやすい例として、『古事記』『日本書紀』について触れてみましょう。「常識」が問題となるわけですから、こういう言い方をします。「あなたは、企業の創業者が身内に書かせた社史を頭から信用しますか?」という、この章のコンセプトにもなった問いかけです。

『日本書紀』は、壬申《じんしん》の乱(六七二年)の勝者となった大海人皇子《おおあまのおうじ》、のちの天武《てんむ》天皇が息子の舎人親王《とねりしんのう》を現代風に言えば編集総責任者にして、当時の学者を動員して書かせた日本初の中国式の正式な歴史書です。歴史学者は、これを「正史」と言います。

「正史」というと、正しい歴史という意味に思えますが、実はこれは官、つまり公の権力がまとめた歴史という意味なのです。やはり「国」というのはそれなりの権威があるものですし、それがしかも学者を動員して、正確を期して書かせたということであれば、信頼できるように思えます。しかし、ここで〝人間の常識〟が問題となるわけです。

実は『日本書紀』というのは、成功した経営者(この場合は天武天皇)が自分の身内に書かせたものです。社史というものも、そもそもそういうものです。

社史や、功なり名を遂げた経営者の立身出世物語に類するもの、しかも客観的な人間ではない身内に書かせたものは、当たり前の人間社会の常識ですが、まず創業者のことは悪く書きません。彼のやったことで悪いこと、他の会社を乗っ取ったとか潰したとかいう話は、隠すか、あるいは正当化するものです。これが人間社会の〝常識〟なのです。

となると、『日本書紀』というのは、「勝てば官軍」という言葉がありますが、戦争に勝って相手方を倒した官軍側の人間が、しかも身内に書かせたものですから、それをどうしてそんなに信用するのか？　ということが言えます。

具体的な例で説明します。『日本書紀』によると、壬申の乱の勝者である天武天皇が権力を握るストーリーは、こういうふうになっています。

最初、天智《てんじ》天皇（かつて大化改新を藤原〈中臣《なかとみの》〉鎌足《かまたり》とともに成し遂げた中大兄皇子《なかのおおえのみこ》のこと）は、自分の弟である大海人皇子（のちの天武天皇）にあとを継がせようと考えていました。ところが、自分と若い妃との間に大友《おおともの》皇子という子供が生まれたので、心変わりして、こちらに天皇位を継がせようと考え、大海人皇子を邪魔者にし始めました。

そこで大海人皇子は危険を感じ、自ら吉野の山に身を隠しました。そののち、天智天皇が亡くなったあと、大海人皇子と大友皇子の皇位争奪戦が起こります。これが壬申の乱です。そして、その戦いに勝ったことによって、大海人皇子は即位して天武天皇になりました。これがいわゆる『日本書紀』に書かれている、天武天皇が天皇になるいきさつです。

しかし、実はすでに江戸時代から言われていることなのですが、天智天皇が亡くなったあと、大友皇子は「皇子」のままであったのかという疑問があります。『日本書紀』には「皇子」と書かれていますが、常識的に考えればそんなことはあり得ないわけです。なぜなら天皇の位というのは、一部の例外的な時期を除いて、連綿として続いていかなくてはいけないものだからです。前の天皇が亡くなったら、皇子が直《ただ》ちに即位するというのが古代史の原則です。

天皇というのは、霊力によってこの国を守るものであるから、空白の時期があってはいけません。そう考えると、大友皇子はすぐに即位したと考えるほうが正しいはずです。にもかかわらず『日本書紀』には、なぜそう書かれていないのかというと、要するに一度天皇になった人間に対して兵を挙げ、それを倒すということは、いわゆる「大逆《たいぎゃく》」、日本のあらゆる罪の中で最も許してはいけない「大逆罪」であ

律令体制成立期の天皇家系図

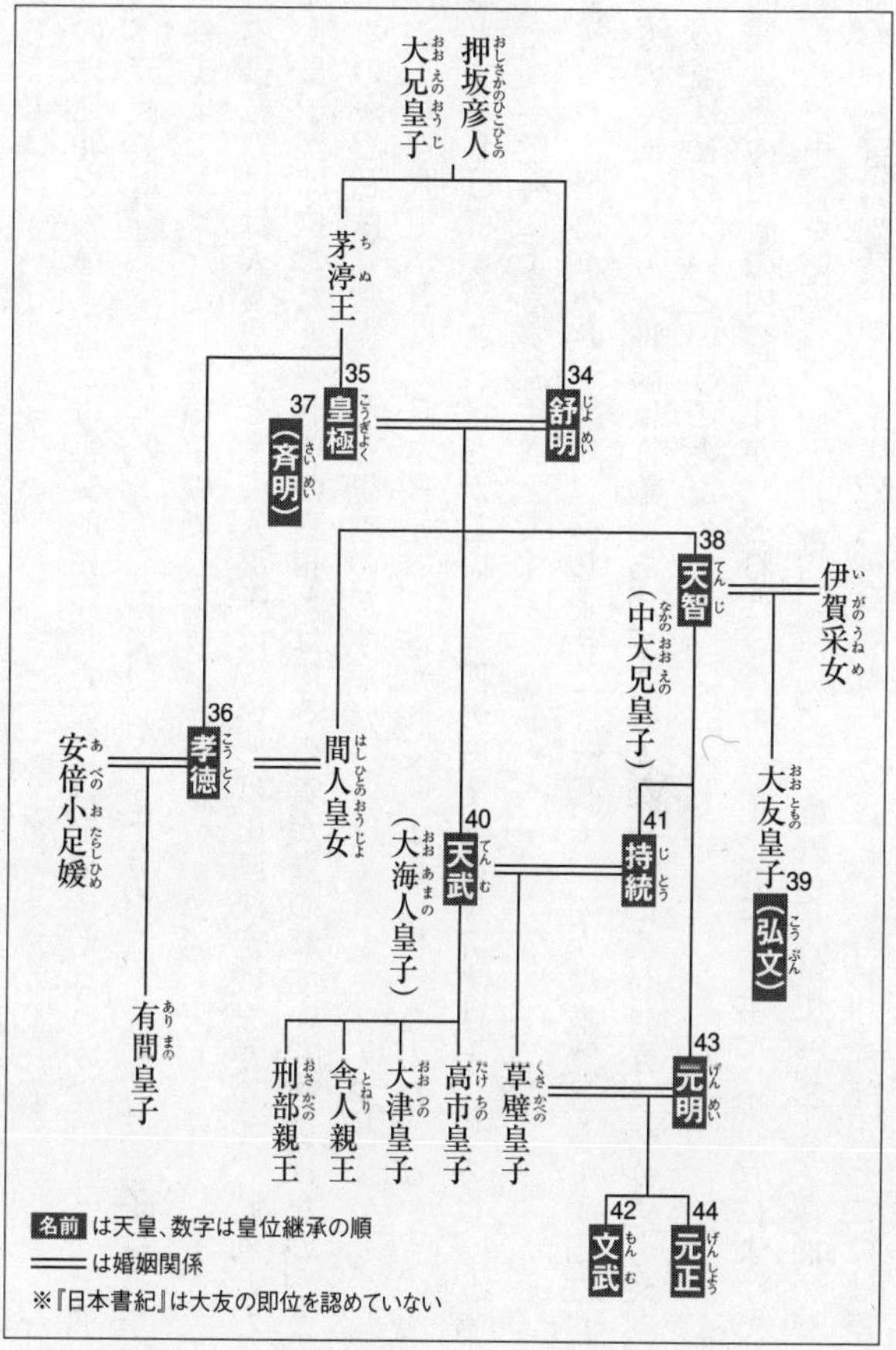

るからでしょう。

その大逆罪を大海人皇子は実質的に犯したのではないでしょうか。しかしそう書くと、天武天皇は「悪」だということになってしまうので、まだ大友皇子は〝皇子〟のままであったとしているのでしょう。

『日本書紀』には大友皇子と大海人皇子は、いわば王座決定戦をやって、勝利した大海人皇子が即位したと、歴史の真相とは違う事実が書かれているのではないかと考えるのが、私は〝常識〟だと思うのです。

ところが、歴史学者は『日本書紀』に書かれているから事実なのだ、というのを基本とするわけです。これはおかしい。専門の歴史学の探究方法というのは、一言でいえば「史料による実証主義」です。

史料という証拠がないかぎり、信じません。そして、いかに推論として妥当性があるものであっても、推論は推論であって、確かな史料的裏付けがないかぎり絶対にその説はとらないということなのです。

問題はその史料の内容ですが、史料というのは基本的に「正史」――官によってつくられた史料を優先し、個人が書いた、たとえば野史《やし》・外史《がいし》（いずれも民間の歴史書のこと）は信頼に値するものではないとします。私に言わせれば、そこには差別や権威主義が根本にあると思います。

これはまた現代での常識の話をしますが、たとえば政府の大臣、あるいは政党が、スキャンダルによって失脚したり、その信用が失墜《しっつい》したとします。その政治家個人の後援会が出している「何々先生伝」と称する書物、あるいはその政党が党員に配る「何々党史」というような本に、スキャンダルの内容がそのまま書かれるかと言えば、これは誰がどう考えても、そうじゃないというのが常識です。

たとえば最近の例で言いますと、先の安倍晋三《あべしんぞう》内閣の時の政府税制調査会長が「一身上の都合」を理由に辞職したことがあります。官報にはそのように記載されていますが、しかしながらなぜ辞めたかと言えば、実際には自分の愛人を財務省から与えられている官舎に住まわせていたことが週刊誌の報道でバレたので、詰め腹を切らされた、つまり辞めさせられたというのが真相です。

今は週刊誌に限らず、新聞、テレビ、ラジオがあるので、官が隠そうとしてもこうした事実は明らかになるにもかかわらず、現代ですら官報では一身上の都合で辞めたというふうにしか書かれていないわけです。これが千年以上前の、国家の歴史書しかない——歴史書（正史）というのは、私は官報のようなものだと思っていますー——時代のことですから、官報が真実を伝えていると決めてかかるのは危険です。「今日の新聞記事が明日の歴史になる」と、私はよく言うのですが、その伝で言えば、「今日の官報が明日の歴史になる」というのが古代社会の実態だったはずです。

古代の日本には、民間の報道機関は一切ありません。ですから、官報が伝える歴史を鵜呑《うの》みにするほうが、明らかにおかしいのです。ところが日本の歴史学者たちは「実証主義」と称して、あくまで史料の裏付けがあれば信じる、裏付けがなければ信じないという態度を堅持します。そうした態度は、官製の歴史書のほかにも複数の史料が残っていて、それらをクロス・オーバーチェックするような時には有効でしょう。歴史の情報の中には、もちろんいい加減なものも多いわけですから。

ところが、どうしても史料が限られている古代史において、官報と考えるべき「正史」を鵜呑みにするということは、まさに立志伝中の人物が自分の身内に書かせた自慢と自己正当化に満ちた伝記を、そのまま真実と錯覚するのと同じことなのです。どうしてこれが分からないのか、私には不思議でなりません。

●天智天皇は暗殺された⁉

『日本書紀』より四百年ほどのちの史料に、『扶桑略記《ふそうりゃくき》』があります。これは神武《じんむ》天皇の時代から平安後期の堀河天皇までの時代を叙述した通史ですが、平安時代の末に僧侶が編纂《へんさん》したとされている、いわゆる私撰の歴史書です。これを読みますと、天智天皇の最期について驚くべき記述があります。

「天智天皇は、実は山科《やましな》の里に遠乗りに出かけて突然行方不明になってしまい、その現場に靴だけが落ちていた。そこで、仕方がないのでその靴を拾い上げて、死体の代わりに葬って墓となした」というわけです。これを今の歴史学者はまったく問題にしません。なぜならば、『扶桑略記』は個人が伝聞をもとに、のちの時代に書いた歴史であるからです。

『日本書紀』は同時代、その当事者が書いたものであって、実際に歴史を見聞していた人間ないしは、その見聞した人間から直接証言を聞いた人間が書いたものです。一方、そういう同時代人たちがまったく死に絶えたあとに伝聞をもとに書かれたのが『扶桑略記』だから、『日本書紀』と比較すると、まったく信頼できず、少なくとも『扶桑略記』には『日本書紀』の記述を否定する力がないというのが、現代の日本の歴史学における常識とされています。

これは、私から言わせればまったく理解しがたい。これはアメリカの話ですが、アメリカではたとえ国家機密であっても、ある程度の年限を過ぎたものは原則、全部公開しなければいけないという法律があります。当事者や利害関係者が生きている間はどうしても公開できないという機密はどこの国にもやっぱりあります。しかし、それをそのまま機密のまま放っておくと、歴史というものはきちんと書けません。だからある程度、年限を区切って、それを過ぎたらすべて公開するということになっているわけです。

日本には、実はこれに類する法律はありません。日本でも「外務省機密文書の公開」が毎年行われていますが、これは実は外務省が恣《し》意的に決めたものだけを公開しているのであって、ときどき戦後史を書き替えるような史料が出てくる場合もありますが、本当に機密のスタンプが押されたものが全部公開されているかというと、そんなことはありません。あくまでも外務省が許可したものだけなのです。

しかし、情報＝真実が明らかになるには、ある程度、時間の経過が必要だったり、時間が経過したからこそ、真実が明らかになるということは、当然、あり得ることです。

『扶桑略記』のほうが『日本書紀』よりもはるかに新しいから、真相を書いていないというのが歴史学の判断ですが、そうは言い切れません。むしろ逆に、関係者も死に絶え、ようやく本当のことが言えるようになったという可能性だって十分にあり得るわけです。

では、官報である『日本書紀』では、天智天皇の最期をどう書いてあるかというと、ちゃんとベッドの上で病死したということになっています。『扶桑略記』とは、全然違うわけです。この『扶桑略記』の記述は、「行方不明」になったとは書いてあるけれども、これは拉致《らち》・暗殺されたのであるというふうに考えるのが普通でしょう。

「暗殺」というのは飛躍しすぎではないかと言われるかもしれませんが、実は『扶桑略記』には、この記事のあとに数十字抜けている、あるいは脱落させられていて正確には読めないのですが、その中に「殺」という字が混じっているのです。

ですから、もしかすると、天智天皇はその生涯の最期において暗殺されたのだということが、最初はきちんと書かれていたのではないかという推測も、一応成り立ちます。

『扶桑略記』を編纂した僧侶というのは、諸説ありますが、定説では比叡山《ひえいざん》功徳院《くどくいん》(現在の法然堂)の皇円《こうえん》だと言われています。

この功徳院も、実は天智天皇が築いた都である大津宮《おおつのみや》のすぐ隣にあるお寺で、いわば地元です。しかも同じく大津宮近くの三井寺《みいでら》の成り立ちを記した「縁起《えんぎ》」という史料を見ますと、天智天皇の遺児が寺の設立に関わったという伝承もあります。したがって、天智天皇は病死したと公式に発表しているけれども、実は暗殺されたのだ、ということが伝承として地元に残っていた可能性は十分にあり得ます。その伝承を四百年経って、「もう書いてもよかろう」と判断して、皇円が『扶桑略記』に記したという可能性が、私は非常に高いと思うのです。

●『日本書紀』は天武天皇の年齢を隠している

仮にその『扶桑略記』の記述が正しく、天智天皇が暗殺されたとしたら、その理由とは何だったのかを考えなければなりません。そこでもう一度『日本書紀』に戻りますと、実に奇怪な点が一つあって、これは誰しもが認めていることなのですが、天武天皇の年齢が『日本書紀』を読むかぎり分からないということです。こんなことはどう考えても普通はあり得ません。というのは、先ほども述べたように、『日本書紀』というのはそもそも天武天皇が息子の舎人親王を編集総責任者として編纂させた書物ですが、全体の記述を見ますと、四十一人の天皇プラス天皇に匹敵するものとして神功《じんぐう》皇后の事績が載っているにもかかわらず、総ページ数の八分の一が天武天皇のことを書いているのです。それにもかかわらず、天武天皇の年齢が分からないということは、正史の歴史書として、あまりにも不自然ではないでしょうか。

もちろん、天皇が何歳で死んだということを書かない場合も少なくないのですが、たとえば何歳の時に立太子をしたとか、何歳の時にどこへ行ったとか、あるいは兄と何歳違っていたかというようなことは、記事の中に必ずあるもので、それをもとにすべての天皇の年齢は分かるようになっています。神武《じんむ》天皇のように伝説的な天皇で、百歳以上という、ちょっと信じられない場合も含めて、天皇の没年齢は全部確定しているのですが、天武天皇だけ確定していません。これはどの歴史事典もそうなのですが、天武天皇が何歳で死んだかという確かな数字は、実は載っていないのです。

なぜ、このような異常な事態が起こったのか。考えられる合理的な推論は、たった一つしかありません。それはごまかす必要があったということです。誰が考えてもそうだと思います。常識で考えればそうなるにもかかわらず、少なくとも私が知るかぎりの歴史学の先生方は、これを頑《がん》として認めようとしません。

天武天皇伝に相当する『日本書紀』の「天武紀」冒頭には、天武が天智天皇の「同母弟（実母が同じ兄弟）」で、二人のお父さんは舒明《じょめい》天皇でお母さんは皇極《こうぎょく》天皇

（いったん退位したのち、再度即位して斉明《さいめい》天皇）で、要するに天皇と天皇の間に生まれた兄弟で、長男が天智天皇、その弟が天武天皇であると書かれています。

天智天皇の年齢は、もちろん分かっていますから、その弟であるということになると、何歳下だというようなかたちで分かるはずなのですが、『日本書紀』の記述をもとに計算をしてみても、どうやっても計算が合わないわけです。そこで、ある古代史の大家の先生は、年齢を、たとえば六十五歳と書くべきところを五十六歳というように反対に書いてしまったとする説を唱えています。でも、これはもう苦し紛《まぎ》れもいいところで、もし反対に書いてしまったというならば、他にもそういう事例があるのかと聞いてみたく思います。

もう一つおかしいのは、『日本書紀』の編纂にあたっては、舎人親王だけではなくて、何人もの学者が校訂に参加しているわけです。今でもそうですが、複数の編者が関わっている場合は、必ず相互にチェックしますから、天武の年齢が書き落とされるなどということはあり得ないはずなのに、それでもやっぱり記述がないということは、そもそも天智天皇の弟であるということも怪しいのではないかと疑ってみる必要があるのではないでしょうか。

実はこの疑問は昔からありました。これは室町時代の人ですが、後醍醐《ごだいご》天皇のブレーンで、のちに『神皇正統記《じんのうしょうとうき》』を書いたことで有名な北畠親房《きたばたけちかふさ》という人が注目すべき発言をしています。天智と天武は、実は「双生児だった」とする説です。双子は昔から忌み嫌われるということがあり、どちらか一人しか育てないというようなことが古い習慣としてあったようなのですが、そこからの類推で、「年齢を書いていないのは双生児だったからではないか？」というような説が、すでに室町時代にあったわけです。

ただ、双生児の場合は、一人は捨て子にしてしまうか、あるいは養子に出してしまうというのが、当時としては普通だったので、この場合は二人とも皇子として育てられているわけですから、この双生児説というのは成り立ちがたい。では、年齢を隠すための合理的な根拠というのは何か。

天智と天武は、のちに二人とも天皇となったのですから皇族であるということは認めてもいいと思いますが、私が想像するに、天武は皇族ではあるけれども、天智天皇を超えるほどの相続権、相続資格を持つ人ではなかったのではないでしょうか。もっと具体的に言いますと、生母の身分が卑しかったのではないかというふうに考えられます。

もう一つ考えられるのは、天智ではなく、天武が兄だったのではないかということとです。つまり生母の身分が卑しいというだけならば、年齢を書くことには何の問題もありません。三歳下だったとか、五歳下だったとか、それも書いてないということは、単に生母の身分が低いだけではなくて、「天武が兄だった」と考えられます。この両方があってこそ初めて年齢を書かない、そのヒントさえも書かないという理由が説明できるわけです。

●書かない理由はただ一つ

時代はずっと下りますが、戦国時代に同じような例があります。たとえば織田信長という人は、正しくは織田三郎信長という名乗りで、父信秀《のぶひで》のあとを継いだ嫡男《ちゃくなん》ですが、その名の通り、実は三男なのです。次男である二郎さんがいたかどうかは記録に残っていませんが、長男が別にいました。織田信広《のぶひろ》という人です。この人は歴史事典にも載っている人で、別に異説とか奇説の類ではなく、『信長公記《しんちょうこうき》』という信長に関する第一級の伝記史料にも登場する実在の人なのですが、信長の兄であったにもかかわらず、織田家を相続しませんでした。その理由は、信長が父信秀の正夫人の出生であり、信広の方は、生母の身分が低かったからです。

信広という人は、実はそのことを非常に不満に思っていたようで、弘治《こうじ》二年（一五五六）に、隣国美濃《みの》の大名、斎藤義龍《よしたつ》と組んで信長に反乱を起こしますが、のちに態度を改めて信長に忠誠を誓います。信長は残酷な人間だと言う人もいますが、実は身内には非常に甘く、彼を許すことになります。許してもらった信広は、もはや織田姓を名乗るのは恐れ多いということで津田《つだ》と改めました。ですから歴史事典では津田信広で載っているケースも割合多いのですが、これは間違いなく織田信広のことです。

　話を元に戻しますが、天武天皇の生母は身分が低かったと推察され、なおかつ『日本書紀』に年齢が書かれていないということは、もはや理由は一つしかありません。実は兄で、しかも庶兄《しょけい》だったのだろうと考えるのが合理的です。

　天武が庶兄（正夫人以外が生んだ年長の男子）であったとするならば、やっぱり相続権については、天智天皇の正式な息子である大友皇子のほうに優先的にあるわけです。天武が大友皇子に勝利して皇位に即いたことを正当化するためには、天智天皇の弟であったとするほうが都合がいい。そのことを『日本書紀』はごまかしているのではないかと、こう考えたほうがはるかに合理的なわけです。にもかかわらず、そういう考え方は少なくとも私の知るかぎり、これまで一切排除されてきたのです。

合理的に考えれば、どう考えてもおかしいということが、なぜ見過ごされてきてしまったのでしょうか。

理由はたった一つで、歴史学の先生方の中には、一般社会で言うところの〝常識〟に欠けているところがあるからです。立志伝中の創業者が身内に書かせた伝記などというものは、もちろんすべてがウソだなどということはないにせよ、「頭から鵜呑《うの》みにしない」「まず疑ってかかるべきだ」、それが人間社会の常識ではないでしょうか。

第一章

邪馬台国の〝台〟はなぜ「タイ」と読むのか

▼古音や言語学から考える歴史

「あなたは、なぜ〝行動〟を『こうどう』、〝行灯〟を『あんどん』と読むのか、知っていますか？」

●邪馬台国はなんと読む？

「邪馬台国」と書いて、われわれはなんの疑いもなしに「やまたいこく」と読んでいます。これは、本当はおかしく、間違いだと言ってもいいのです。なぜならば、漢字というものは、もともと中国から輸入されたものですから、時代によって読み方が違うからです。

では、実例を挙げてみましょう。たとえば「行灯」は「こうとう」と読めますが、現代のわれわれは通常、「あんどん」と読んでいます。あるいは皇帝や天皇が一時的に身を置くために作った仮の宮殿を「行宮（あんぐう）」と呼びます。なぜ「行」と書いて「あん」と読んだり、「こう」と読んだりするのでしょうか。それは、その言葉が日本に入ってきた時代が違うからなのです。

つまりこの「行灯」とか「行宮」は、中国の南宋《なんそう》の時代以降に日本に入ってきたものであり、その移入当時の中国語の発音が「あん」、もしくは「あん」に近かったので、日本でも同様な呼び方をしたのです。ちなみに「日本」という言葉もそうで、日本のことを英語では「ジャパン」と言いますが、それはなぜかというと、昔、中国語で「日本」と書いて「ジッポン」と読んだからなのです。ところが、現在の中国では「日本」を「リ（リュ）ーベン」と読みます。時代によって、全然発音が違うわけです。

つまり中国というのは歴史の長い国ですから、その時代ごとに漢字の読み方が違ってきてしまうのはよくあることなのです。つまり漢字から歴史を知ることができ、それは歴史を読み解くうえで重要な知識となります。少なくとも歴史を扱う歴史学者は、時代によって漢字の読みが異なるということを認識していなくてはなりません。常識中の常識なわけです。

●邪馬台国＝ヤマトの動かぬ証拠

なぜ「邪馬台国」を「やまたいこく」と読むのかというと、実は江戸時代の学者（本居宣長《もとおりのりなが》と言われている）が「やまたいこく」と読んだからなのです。

「台」という字に注目してみましょう。この字は「台湾」などと使われているように、今は確かに「たい」ないし、「だい」と読みますが、「邪馬台国」という言葉が初めて書かれたのは、中国の三国志の時代です。中国の正史『三国志』に収められている『魏志《ぎし》』倭人伝《わじんでん》に、この言葉が出てきます。書いたのは、陳寿《ちんじゅ》という歴史家です（「台〈臺〉」という字が使われたのは、もっと後だという説もありますが、ここではとりあえず触れないこととします）。

したがって、「邪馬台国」をなんと読むかというと、当然『三国志』が書かれた時代にこれをどう発音していたかを調べなければわかりません。しかし、日本のほとんどの歴史学者たちは、そんなことには無頓着で、あまり気にもしていません。

私は以前、テレビ番組の企画で、台湾にいた中国の古音を研究している音韻学者に会いに行き、実際に「邪馬台」という文字を発音してもらいました。中国語は日本語よりも音韻の数が多いのでカタカナで表記するのは難しいのですが、私には

「ヤマド」あるいは「ヤマドゥ」に近い音に聞こえたのです。

これは、論より証拠ではありませんが、ヤマト朝廷のヤマト、大和国のヤマトとみて間違いないでしょう。

邪馬台国については、その所在地論争などともからんで、はたして大和朝廷の前身だったか否かという議論がそれこそ江戸時代から繰り返されていますが、これは私に言わせればまったく無駄な話です。

「邪馬台」は古代の中国語ではヤマトに通じるのですから、大和朝廷と関係があることは疑いようもありません。この二つは明らかに兄弟なのです。もちろん、その他に傍証として、邪馬台国の首長である卑弥呼《ひみこ》は女王だったということも挙げられるでしょう。なぜなら、大和朝廷の祖先神も太陽神の天照大神《あまてらすおおみかみ》という女神だからです。

本居宣長（早稲田大学図書館蔵）

太陽神が女神という民族は、実は世界でも珍しく、ギリシアでもローマでも、太陽神は普通、男です。男神の太陽神に対して、大地が女神であるというのがスタンダードな組み合わせなのですが、日本は太陽神が女性であるという、ある意味非常に変則的なスタイルなので、それはやはり、なんらかの歴史的事実を反映しているのではないかと考えるべきでしょう。つまり、卑弥呼が女王として邪馬台国＝ヤマトに君臨していたという事実を反映したからこそ、大和朝廷は天照大神という女神を祖先神とするようになったと解釈するのが自然だと思います。

天照大神とは、実在の女王卑弥呼をモデルとしたものだということです。

この卑弥呼という女性、私は「ひのみこ（日の巫女）」を意味する名前で、つまり卑弥呼は太陽を祀《まつ》る女性だったと思っています。

しかも私は、実は卑弥呼は殺されたのではないかと思っているのです。

邪馬台国は日本の国家形成期に起こった戦争で負けてしまいます。それは皆既日食が原因だったがために、卑弥呼の太陽に対する祀り方がおかしいせいだ、ということにされ、彼女は敗北責任を取らされる形で殺されたのではないかと、私は考えています。

ただ、殺された人間というのは往々にして神格化されます。特に恨みをのんで非《ひ》業《ごう》の死を遂げた人間は、祟り神《たたりがみ》になるといけないので、神として祀り上げられる傾向を持つのです。そこで実在の人物、卑弥呼が朝廷の祖先神とされる天照へと転化され、神格化がなされたのではないかと思います。

これはあくまで想像であり推論に過ぎないのですが、少なくとも邪馬台国の邪馬台（やまたい）と、大和朝廷の大和（やまと）は実は同じものであることが、古代中国語にあたることで明らかになりました。これは物的証拠といっても差し支えないと思います。

●学界のしがらみを捨てよ

「やまと」という言葉自体は、すでに「大和」の字を当てられる以前から、「倭」という字を当てて使われていました。つまり、漢字を当てはめる以前に「やまと」という言葉自体が先行していたということです。

中国人が自分たちのことを「倭」と呼んでいるので、「やまと」という言葉をその漢字に当てはめたのですが、のちに「倭」という字は差別的な意味を含んだ、あまり良くない字であることに気づいて、日本人が自ら「倭（やまと）」を「大和（やまと）」という字に改めたのではないでしょうか。

漢字以前に「やまと」という言葉・音《おん》が先にあったのですから、それを三世紀の『三国志』の著者である陳寿が聞きとめて——もちろん本人が直接聞いたのではなく、日本に派遣された魏の使者が「やまと」という言葉を聞いてきて、それが陳寿に伝わり、『魏志』倭人伝に「邪馬台国」として書きとめられたのでしょう。

中国語の古音を調べることによって、こういうこともわかってくるのです。ところが、あまたいる学者や研究者たちは、私の知る限り誰一人としてこういう基礎作業をしてきませんでした。

それはやはり、学者世界特有の師弟関係、先輩後輩関係のようなものが足かせとなっているのだと思います。学閥や派閥の弊害です。自分の師匠、あるいは学問上の先輩が決めたことや研究成果に、極端に言えば妄信的に追従する、追従せざるを得ないという事情が、象牙の塔の住人たちにはあります。

それはある意味、同情すべき点なのかもしれません。先輩の説を否定したら、就職先がなくなる、学界における立場が悪くなる、出世に響く……。しかし、それは本来、真理を探究するという学問の世界には関係のない話なのですから、やはり批判は真摯《しんし》に受け止めていただかなければいけません。

私がこういった大胆な発言ができるのも、私が学界や大学、研究機関といった存在から何の恩恵も受けていないからです。人間関係に配慮する必要もありませんから、自由に発言することができるし、たとえ相手が著名な大学者であろうと、堂々と批判することができるのです。

邪馬台国＝ヤマトの問題で言えば、先輩がこう言っているから、それが学界の常識だからといったバイアスを取り払って、ちょっと常識を働かせれば、「こうとう」と「あんどん」の例でもわかるように、中国というのは時代によって発音が違うのだから、当然その時々の正しい発音で読むべきだということに気がつくはずです。

極端に言えば、正確な学術論文を書くためには、たとえば邪馬台国と無批判に書いてしまわずに、「ヤマド」とカタカナで書いて、中国語の発音記号をそこに添えておくといった慣例を作るべきなのかもしれません。もちろん誰一人、そんなことを試みている学者さんはいませんが……。

ちなみに、先ほどと同じテレビ番組の中で、邪馬台国の周辺の国についても中国語の古音で読んでもらったのですが、たとえば好古都国（こうことこく）というのがあります。これは国名なのですが、これの「好古都」を古音で発音すると「ほかた」と聞こえるのです。私は、これは博多ではないかと思いました。残念ながら好古都国と邪馬台国との位置関係は、『魏志』倭人伝にははっきりとは書かれていないので、その好古都国が博多であったとしても、邪馬台国の位置を確定する決定的な証拠とはなりません。

ただ博多というのは極めて古い地名で、「ほかた」というのは、博多である可能性が非常に高いと、私は思っています。つまり、中国語の古音に着目することで、好古都国が現在の博多にあった可能性が高いという事実にも行き当たることができたわけです。

冷静に考えてみれば、『魏志』倭人伝は中国の文献なのですから、古い時代の発音で読まなければいけないのは当然のことなのです。

しかし、日本の歴史学界ではそうした作業は行われてきませんでした。ようやく近年になって、中国語学を研究テーマにしている京都産業大学教授の森博達《もりひろみち》氏によって、本来は漢文=中国語で書かれた『日本書紀』を言語学的な見地から分析し、漢文の用法から、正確な漢文で書かれているα群、日本風にアレンジされた漢文で書かれたβ群に分類するという新たな研究方法が見出されました。森氏によると、α群は中国語を駆使する渡来人によって書かれたもので、逆にβ群は日本人が執筆した部分だとわかるということです。

邪馬台国を古代中国語でなんと読むかに注目した私としては、こうした研究が進むのは実に嬉しいことだと思いますが、この森氏はもともと歴史学の研究者ではなく、中国語の研究者であるということを見落としてはなりません。

第二章

聖徳太子はなぜ憲法十七条を制定したのか

▼何事も話し合いで決める日本人の行動原理

「あなたは、なぜ日本人は談合を好むか、知っていますか？」

●誰も憲法十七条の真意を知らない

聖徳太子といえば「憲法十七条」というくらい、憲法十七条は有名です。知らない人はまずいないでしょう。

ところが、実はこの憲法十七条について、ほとんどの方は誤解しています。そもそも学校で歴史を教える立場の教師からして、この憲法の本当の意味についてよくわかっていない方が多くいます。憲法十七条のことだけではなく、歴史の〝見方〟や〝考え方〟に関しては、そもそも教師が分かっていないということが少なくないのですが、この問題はまさにその典型的な例と言えるでしょう。

憲法十七条というと、まず第一に言及されるのが第一条の「一に曰く、和を以て貴《たつと》しとなし、忤《さか》ふること無きを宗《むね》とせよ」という条文で、これは教科書にも載っています。そして、この条文を引き合いに出して、聖徳太子が主張したのは「和」を大事にしろということで、みんな穏やかに仲良くすること、ケンカしないことというのが和だと、説明されるわけです。

それは確かに間違いではないのですが、実は、この条文はこれで終わりではなく、続きがあります。

第一条の全文を引用しましょう。出典は『日本書紀』（岩波文庫）です。

一に曰《い》はく、和《やはら》ぐを以て貴《たふと》しとし、忤《さか》ふること無《な》きを宗《むね》とせよ。人皆党有《ひとみなたむらあ》り。亦達る者少《またさとものすくな》し。是《ここ》を以て、或いは君父《きみかぞ》に順《したが》はず。乍隣里《またさととなり》に違《たが》ふ。然《しか》れども、上和《かみやはら》ぎ下睦《しもむつ》びて、事《こと》を論《あげつら》ふに諧《かな》ふときは、事理《こと》自《おの》づからに通《かよ》ふ。何事《なにごと》か成《な》らざらむ。

これを仏教学者の中村元《なかむらはじめ》氏（一九一二～一九九九）の現代語訳（『聖徳太子』東京

書籍）で見てみましょう。

第一条　おたがいの心が和らいで協力することが貴いのであって、むやみに反抗することのないようにせよ。それが根本的態度でなければならぬ。ところが人にはそれぞれ党派心があり、大局を見通している者は少ない。だから主君や父に従わず、あるいは近隣の人びとと争いを起こすようになる。

しかしながら、人びとが上も下も和らぎ睦まじく話し合いができるならば、ことがらはおのずから道理にかない、何ごとも成しとげられないことはない。

お分かりでしょうか。聖徳太子は、ただ和が大事だと言っているのではなく、それでも人は争いを起こすものだから、話し合いをしなければならない、そして話し合いをすればどんなことでもかなうと言っているのです。「何事か成らざらむ」ということです。

実はこの憲法の最後の条である第十七条にも、似たようなことが書いてあります。これも中村元氏の訳によれば、「重大なことがらはひとりで決定してはならない。かならず多くの人びととともに論議すべきである」ということが語られ、その末尾は「多くの人びととともに論じ是非を弁《わきま》えてゆくならば、そのことがらが道理にかなうようになるのである」と結論づけています。

たった十七条しかない憲法の条文の第一条と第十七条、つまり最初と最後に、「話し合いこそ重要だ」ということが書かれているわけです。条文を羅列する場合、普通は一番大切なことは最初か、もしくは最後に書くものですから、聖徳太子が本当に言いたかったことは、まさにこの「話し合いこそ重要だ」ということは、どう考えても動かしがたい事実だと断言できます。

にもかかわらず、そのことがよく分かっていない人がほとんどで、教科書を読んでもそういうことを書いていないのです。

たとえば高校の標準的な日本史教科書である『日本史B　改訂版』（三省堂）を見ると、「憲法十七条には仏教や儒教《じゆきよう》の考えがとり入れられ、天皇のもとに支配を秩序づけることや、官僚《かんりよう》として勤務《きんむ》する心がまえなどが説かれた」と書いているだけです。

ほとんどの人の認識は、こんなところではないでしょうか。

もちろん支配を秩序づけるとは言っていますが、より重要なのは「話し合い」の方なのに、憲法十七条と直接の関係はないと思っています。ところがそれは大間違いです。

極言すれば、憲法十七条は「話し合い」を勧めている憲法だと言ってもいいと思います。評論家の山本七平《やまもとしちへい》（一九二一〜一九九一）は、かつて日本人の特性を「話せば分かる」という意識が社会を覆《おお》っている「話し合い絶対主義」と呼んでいましたが、まさにそのとおりだと思います。聖徳太子の昔から、日本人というのはどんなことでもすべて話し合いで解決できるという信仰を持った民族なのです。

●聖徳太子の日本人論

なぜそうなのかということは大変難しい問題で、「鶏が先か卵が先か」みたいなことになるのですが、やはり大きな理由の一つは、日本が一神教の世界ではないからだと思います。一神教というのはエホバにせよ、キリストにせよ、アラーにせよ、たった一人の絶対的な神様がいて、その神様の決めたルールというものを絶対に守らなければいけません。そのルールというのは、神が決めたルールであるゆえに、人間では変更できないという考え方です。

ところが、日本にはそういう考え方がないから、話し合いでなんでも変更できてしまうわけです。

一番顕著な例が、明治維新の時にありました。それまで、日本人の信仰は神仏混《こん》淆《こう》でした。仏様も神様も等しく平等に拝んでいたのですが、これからはそういうことをやめて、日本古来の考え方、神道のほうを重んじようと衆議一決した結果、何が起こったかというと、きのうまで拝んでいた仏像や五重塔が全国で破壊されるという事態が起こったのです。「廃仏毀釈《はいぶつきしゃく》」と言われる騒動です。

本当に仏教を信じ、信仰を捧げていたならば、そういうことは絶対に起こらなかったはずですし、仏教の教えにのっとるならば、そんなことをしてはいけないはずなのです。ところが実際には、廃仏毀釈は行われました。信仰や教義よりも、「皆で決めた」ということが優先されてしまったわけです。神様よりも皆の合意を大事にする、それが日本の社会であって、一神教とは対照的な社会であるからこそ、談合あるいは話し合いというのが重要視されることになります。

聖徳太子は千四百年も前から日本人が「すべて話し合いで決める」という性質を持っていることを指摘し、ある意味、非常に分かりやすく日本人というものを規定してくれています。

それがまったく分かっていないというのが、今の歴史教育の弊害の最たるものだと私は思います。「和を以て貴しとなす」という聖徳太子の言葉を、必ず教科書に載せるほど持ち上げておきながら、その意味するところは、実はまったく分かっていません。

聖徳太子は次期天皇となることが約束されている人でしたが、ついに天皇になることはなく、病死してしまいました。

しかし、その次期天皇の座を約束され、天皇の代理として摂政についている人が国民に対して憲法のかたちで何を訴えているかというと、天皇の命令に必ず従え、ということではないのです。

憲法十七条の第三条では、「詔《みことのり》（天皇の命令）を承《うけたまは》りては必《かなら》ず謹《つつし》め」と、確かにそういうことを言ってはいますが、それよりも皆で合意をつくっていくことが大切で、そのためには話し合いで物事を決定しなければいけないということを、第一条で言っているわけです。

たとえば、昭和前期のことを歴史学者も含めて、それは「天皇絶対の世界」だったと言います。

しかし、その昭和天皇のために「昭和維新」を断行しようとしていたとされる、いわゆる二・二六事件の「青年将校」の生き残りは、戦後になって次のように本音《ほんね》を吐いています。

誤解されている憲法十七条

一に曰《いわ》く、和《わ》を以て貴《たつと》しとなし、忤《さか》ふること無きを宗《むね》とせよ。

二に曰く、篤《あつ》く三宝《さんぼう》①を敬《うやま》へ。

三に曰く、詔《みことのり》②を承《うけたまわ》りては必ず謹《つつし》め。君をば則《すなわ》ち天《あめ》とす、臣をば則ち地《つち》とす。

十二に曰く、国司《くにのみこともち》・国造《くにのみやつこ》、百姓《おおみたから》に斂《おさ》めとる③ことなかれ。国に二《ふたり》の君なく、民に両《ふたり》の主《あるじ》なし。率土《くにのうち》の兆民《おおみたから》④、王《きみ》を以て主《あるじ》とす。

十七に曰く、それ事は独り断《さだ》むべからず。必ず衆《もろもろ》と論《あげつら》ふべし。

（『日本書紀』、原漢文）

①仏教。②天皇の命令。③税を不当にとる。④すべての人民。

高校の教科書に載っている憲法十七条の条文
（『詳説日本史 改訂版』山川出版社）
条文はこれで終わりではなく、続きがある。

この間、二・二六事件の生き残りの人達の座談会が「文藝春秋」にのっていたのを読んで、非常に不愉快だった、吐き気を催しましたね。当時反乱軍の将校だった生き残りの一人が、

「つまり陛下が二・二六事件を失敗に追い込んだということですね。私は、いまでも天皇が大相撲にお見えになると、ああ、この方がわれわれの事件を潰《つぶ》したんだなあ、と思いますよ（笑）。パチパチと手を叩いておられるけれども」

と言ってるんです。要するに今の陛下（昭和天皇）のお考えが自分らの国家革新理念とちがっていた、それで自分らひどい目にあわされた、つまらん人だねえ、今どき相撲見てパチパチ手なんか叩いて、いい気なもんだねえということでしょ。こんな無茶な話がありますか。天皇絶対と言いつのっていた彼らが一番陛下をないがしろにしてるんだが、「絶対」なのは、実のところ自分らの信念で、欲しかったのは自分たちの言う通りになってくれるロボットの天子だった。ひどい話ですよ。

（『国を思うて何が悪い』阿川弘之著　光文社刊）

おわかりでしょうか？　「忠誠無比《むひ》の青年将校」ですら、実は「天皇絶対」では

がないのです。本当に「天皇絶対」なら、このような不満がそもそも出て来るわけがない。では何が不満なのか？　それは著者の阿川弘之氏が指摘しているように、彼らの考えた「国家革新理念」に天皇も従うべきだからです。

つまり、「絶対」なのは天皇ではなく「自分らの理念」なのです。では、なぜそう思うのか？

もう、おわかりでしょう。「皆で話し合って決めたこと」だからです。憲法十七条の第一条にあるように、「話し合いで決めたことは必ず正しい」のです。だから天皇もこれは従うべきだし、逆に天皇の命令（詔）などは「つつしむ」べきものではあっても優先順位としては三番目（第三条）でしかないのです。これが日本人なのです。

憲法十七条はある意味、これほど分かりやすく日本人の性質をずばりと言ってくれたものはないのに、それが全然理解されていないのです。

憲法十七条はたいていの歴史教科書には載っていますが、先ほど述べたように省略して載っているので、一般の人がその本当の意味を分からなくても不思議はありません。しかし、歴史学者は、特に古代史を専門とする歴史学者は『日本書紀』を絶対に読むはずです。原典の『日本書紀』を読めば、いま語ったような事実ははっきり書いてあるわけですが、歴史学者で聖徳太子が日本人の本質を言い当てているなどと指摘した人が、はたしているでしょうか。

つまり、「木を見て森を見ない」とよく言いますが、聖徳太子が憲法十七条をつくり、その冒頭の「和を以て貴しとなす」という部分だけを見て、憲法十七条の全体、あるいは聖徳太子という人の全体を見ようとしないのが、この国の歴史学の実態なのです。

●「史料絶対主義」ですらない現実

「聖徳太子などという人はいなかった」という人もいます。特に近年、聖徳太子非実在説はマスコミで取り上げられたりして注目を集めています。しかし、実はこうした非実在説はずいぶん昔からあるもので、それほど珍しいものではありません。それこそ波のようにある一定の周期で、忘れたころにまた誰かが唱え始めるという説なのです。

非実在説の根本は、「聖徳太子の実在を示す史料は実はすべて後世につくられたものだったり、信憑《しんぴょう》性の薄いものでしかない。だから聖徳太子は架空の存在なのだ」ということになっています。史料が後世のものであるということは、事実としては確かにその通りですが、私は、こうした考えもまた史料絶対主義という落とし穴にはまってしまっているようにしか思えません。

少なくとも、『日本書紀』に聖徳太子が理想の人物として書かれていることは事実です。仮に聖徳太子個人がいなかったとしても、その人がつくったという憲法十七条はちゃんとあるわけですから、架空であれ、現実であれ、憲法十七条こそ日本人にとって一番大切なものを規定したという事実は揺るぎません。その事実にとって、聖徳太子が架空であるか現実であるかは関係ないことなのです。『日本書紀』に理想の人物の言葉として書いてある以上、これはまぎれもなく当時の人が考えた日本人の理想なのです。古代人が理想と考えた日本人のあり方と言ってもいいでしょう。

ですから、日本人というものを分析するならば、まず何をおいてもこのことから始めなければならないはずです。ところが、その分析の仕方があまりにもおざなりで、木を見て森を見ていません。

歴史学者の多くは史料に基づいて歴史を語るという「史料絶対主義」の立場ですが、聖徳太子と憲法十七条に関して言えば、史料絶対主義にすらなっていません。憲法十七条の文言をよく読めば、第一条と第十七条で「話し合いをせよ。そうすれば全てが解決可能なのだ」とはっきりと書いてあるわけですから、気が付かないはずがありません。

これはあくまでも想像ですが、近代になって――もしかするともっと古い時代かもしれませんが――一番最初に憲法十七条の研究に取り組んだ研究者や大学の先生かが、その条文の重要性に気が付かず、なぜか誤解して、これは全然別の話だというふうに思い込んでしまい、それをずっと弟子たちが疑いもせずに踏襲してきてしまったということなのかもしれません。

●「ルールは変えられる」のが日本のルール

憲法十七条は儒教や仏教の影響を受けたという人もいます。確かに第二条で「仏教を敬え」とは言っていますが、仏教というのは一神教ではないけれども、たくさんいる仏様のおっしゃったことが真理として位置づけられているので、その真理は人間の話し合いで勝手に変えられないはずです。

ところが、憲法十七条で語られる最も重要な「話し合いの原理」というのは、話し合いでどんなことでも変えられるというのがコンセプトですから、これは仏教とは明らかに違うものなのです。

同じ意味で儒教とも違います。儒教にも、たとえば「孝」とか「忠」とかいう絶対に変えてはならないコンセプトや徳目《とくもく》とでもいうべきものがあって、それは永久不変のものです。

ところが、憲法十七条で規定されたように、日本人の倫理、道徳というのは永久不変ではなくて変えられるものなのです。その変えられるということが一つの絶対のルールであるわけです。それにくらべて、一神教のキリスト教世界でも儒教の世界でも、変えられないルールというのが基本にあるのです。

言い換えてみれば、日本では「ルールは変えられる」ということが絶対のルールなのです。そういう民族性の根本を理解するのに一番いい材料が、憲法十七条というこことになります。しかし、まったくそれがなおざりにされているということは、すでにお分かりでしょう。

●「和」の根底にある怨霊信仰

聖徳太子の時代というのは、じつは崇仏《すうぶつ》論争や皇位継承争いがあったり、有力豪族同士の争いなどもあって、非常に問題の多い時代でした。そういう混乱の時代で、外国の思想や考え方もたくさん入ってきましたが、聖徳太子自身は外国の最新思想である仏教を信仰の柱としました。しかし、聖徳太子は自分が仏教を信じているからといって、日本人全体を仏教の色眼鏡で見たりはしませんでした。

当時の仏教というのは外国から入ってきたばかりの外来思想で、一般民衆にはまだ浸透していませんでした。聖徳太子は「自分は仏教を信じている。だから仏教を大切にしてほしい」と憲法の第二条には入れたのですが、やはり日本人を動かしている原理は明らかに仏教ではないと考えたのです。

では、日本人の行動原理は何かというと、それは話し合いだということになります。聖徳太子はそれに気付いていたからこそ、自分の信仰は信仰として別の条文に入れ、第一条と第十七条のなかに、その行動原理を入れ込んだわけです。

「話し合いで物事を決め、それによって真理さえも変えられる」という日本人の本質は、のちに神仏混淆《こんこう》にもつながっていきます。本来神と仏は教義も成り立ちもまったく違うもので、相容れないもののはずです。しかし、話し合いによって和合してしまったのが神仏混淆あるいは神仏習合《しゅうごう》と言われるものです。その一番のきっかけというか、考え方の根本を如実に提示したのが、聖徳太子だったわけです。

ちなみにどうしてそこまで話し合いにこだわり、「和」というものを重要視するのかというと、絶対的真理、つまり一神教が日本にはなかったために、常に価値を相対的に決めていかなければならなかったからですが、それ以上に皆で決めるということにこだわるのは、異論が出た場合に、それが排斥されることによって、なんらかの怨念が生じる可能性があって、日本人はそれを恐れたのではないかと思っています。

日本という国は、とにかく怨霊《おんりょう》の「祟《たた》り」というものをものすごく恐れる社会であったということです。それがすべての諸悪の根源であると認識されてきました。本来、日本という国は、天皇という神に祝福された家系が君臨している世界なのだから、不幸なことは起こらないはずなのです。神の子孫がこの国を守っているのですから。

ところが実際には疫病《えきびょう》が起こったり、天災で不作や飢饉《ききん》となったり、大地震が起こったりするわけです。そういうことを昔の人たちは基本的には悪霊の仕業《しわざ》と捉えていました。ですから悪霊、怨霊というものを生み出さないことが一番大切だったのです。出てしまったら怨霊を鎮魂しなければいけないわけですが、それはある意味で対症療法であって、悪霊・怨霊を生み出さないのが一番いいのです。

病気も高血圧とか心臓病とかになる前に、体をきちんとつくっておくという「予防医学」が一番大切でしょう。そういう予防医学的な考えで言うと、怨念を発生させないことが一番で、そのためにはみんなでよくよく話し合って、異論は出さずにみんなで結論をつくっていくという流れが自然とできます。

ですから日本の話し合いというのは〝多数決〟で物事を決めるということではなくて、最後まで調整して〝全員一致〟というのを基本にするわけです。そういった怨霊信仰は、けっして古代社会だけの話ではなく、日本の歴史を通じてずっとあるのです。

建設業界の談合がこれだけ法律違反と糾弾《きゅうだん》されながら、なかなか根絶できないのも、多くの日本人がライバルを蹴落とし、一人だけが勝ち、敗者の怨念が発生する入札（競争）よりも、「話し合い」で誰もが一度は落札（一等賞）を取れる談合の方が道義的に正しいと信じているからだと、私は考えています。

怨霊信仰の始まりは、ちょうど十世紀の九〇〇年代冒頭、菅原道真《すがわらのみちざね》の怨霊騒動が起きたあたりだとよく言われます。しかしのちに説明しますように、もっとさかのぼって奈良の大仏を建てた理念もそうですし、今回ご紹介した憲法十七条が和というものをものすごく大切にするのも、結局、怨霊信仰の裏返しであると、私は結論づけたいと思います。

第三章

奈良の大仏はなぜ「捨てられた」のか

▼日本社会の基礎にある怨霊信仰

「あなたは、今使っているテレビが壊れた場合、新しいものに替えることを普通だと思いませんか?」

●大仏建立は国家鎮護のためか?

奈良の大仏については、もちろんどなたでもご存じだと思います。

しかし、その奈良の大仏が「なぜ建てられ、そしてなぜ捨てられたか」と訊かれて、ご存じの方ははたしているでしょうか。

「捨てられた」などというと驚かれる方もいると思いますが、あとで述べるように、大仏は奈良の都とともに、いわば捨てられてしまったのは間違いないのです。

まず、「なぜ建てられたのか」という問題から入りましょう。

おそらく歴史学者はこう答えるでしょう。

「そもそも大仏造立を命じた聖武《しょうむ》天皇は、『大仏造立の詔《みことのり》』という公式宣言を発しているじゃないか、そしてそこに大仏造立の目的は〝国家鎮護《ちんご》〟であると明確に書かれている」と。

つまり、国土安穏《あんのん》のために大仏を造るのだということを、当の聖武天皇が言っている。だからそれが大仏造立の目的なのだと。

このあたりにも、歴史学者が信奉する――妄信と言ってもいいでしょう――史料絶対主義の弊害が見え隠れしています。「史料にそう書いてあるじゃないか」と。しかし、聖武天皇が言っているのだから間違いないというのは、あまりに単純な結論ではないでしょうか。

たとえば新聞やテレビを通して毎日触れているニュースのことを考えてみれば分かることなのですが、政府の公式見解はいつも本当のことを語っているわけではありません。民主主義が発達し、それを監視するメディアが成長した日本でも、必ずしも政府見解が正しいとは限りません。国際関係を慮《おもんぱか》って、〝建前〟としての見解を公表するということは、半ば日常的になされているはずです。

ましてや北朝鮮のように、自由や民主主義が未発達な国では、対外交渉を優位に運んだり、ときには自国民を騙すためにさえ、明らかに嘘の見解を発表するのは周知の事実のはずです。

そうした、当たり前の常識を踏まえてさえいれば、聖武天皇がこう言っているから、というような、いわばストレートな解釈はしません。少なくともそのような解釈に疑いを持つのが当然だと私は思うのですが、どうも専門分野の研究に埋没してしまった学者には、そのあたりの理屈が分からない方が多いのです。

奈良の大仏に関して言えば、確かに国家鎮護・国土安穏ということは、聖武天皇ら当時の為政者の頭の隅にはあったかもしれません。もしそうだとしても、彼らの考える国家鎮護・国土安穏というのは、いったい何なのかということを考えなければなりません。

あの時代の人々にとって、それは取りも直さず「天皇家の安泰」ということだと思います。現代の感覚で見ると理解できないでしょう。天皇家という一つの家系が繁栄するということが、イコール国家の繁栄であるという考え方は、現代ではあり得ない考えです。しかし、千二百年以上前の奈良時代であれば、そういう考え方は当然のごとくありました。つまり天皇家というのはこの国の要《かなめ》であり、この国を守護する神の家系なわけですから、その家系が安泰であるということは、まさに国が栄えるということにつながるわけです。

●長屋王の「祟り」が藤原四兄弟を殺した⁉

それを踏まえたうえで、大仏造立の真の目的について考えてみますと、実は私は、奈良の大仏が造られたのは怨霊信仰の結果によるものだと思っています。その理由について、以下に説明しましょう。

聖武天皇の奥さんは、光明《こうみょう》皇后と言います。この皇后は、日本で初めて皇族以外の出身で皇后になった人なのです。天皇の妃にもランクがあって、皇后はいわば正室です。後世に女御《にょうご》、更衣《こうい》などと呼ばれた皇后より下位の妃であれば、それまでも皇族以外の出身者もいましたが、皇后は光明皇后が初めてだったのです。皇后というのは、天皇が亡くなったあと臨時に天皇の位につく可能性がある特別な地位でした。推古《すいこ》女帝や持統《じとう》女帝が、まさにその例です。したがって、「女御」や「更衣」はともかく、皇后はやはり皇族出身でなければいけないというのが不文律だったわけです。

ところが、その不文律を光明皇后が破りました。正確に言えば、光明皇后の生家である藤原氏が不文律を破って光明を皇后に押し上げたのです。もちろん激しい抵抗があったということは想像に難くなく、皇族の代表である長屋王《ながやおう》が反発したとされています。

二十年ほど前、この長屋王の邸宅跡が発掘されましたが、発掘された木簡に「長屋親王《しんのう》」と書かれていたことから、長屋王は長屋親王と呼ばれていたことが明らかになりました。

「親王」とは、天皇の子や天皇の兄弟を呼びならわした名称です。長屋王は天武《てんむ》天皇の息子である高市皇子《たけちのみこ》の子、すなわち天皇の孫ですから本来ならば「王」でいいのですが、長屋親王と書かれていたということは、彼が親王待遇であり、つまり次期天皇候補だったことを示しています。つまり親王待遇である皇族の代表者が、光明を皇后に立てようとする藤原氏の動きに対し、そんなことは許されないと反発したのです。

その結果、起きたのが「長屋王の変」という事件でした。長屋王は謀反を企んだという疑いをかけられ、その一家とともに自殺に追い込まれます。もちろん、藤原氏の策謀によるでっち上げで（長屋王が無実であったことは、のちに「正史」でも認められています）、長屋王にとっては全くの悲劇でしたが、ことはそれで終わりませんでした。

それからしばらく後のことです。光明皇后を押し上げるため、邪魔となる長屋王を、無実の罪を着せるという最も卑怯なやり方で殺した藤原氏の代表的人物たち――藤原四兄弟と呼ばれる藤原武智麻呂《むちまろ》、房前《ふささき》、宇合《うまかい》、麻呂《まろ》の四人――が、次々と疫病で亡くなって全滅しました。彼らは藤原不比等《ふひと》の子供で、光明皇后の兄弟にあたります。

当時の人々はどう思ったかというと、「彼らは長屋王の祟りによって死んだのだ」と恐れたと思います。これは無理からぬことでしょう。現代ですら、ある人間を無実の罪に陥れて憤死させた犯人たちが次々に伝染病にかかって死んだとしたら、「やはり祟りだ」と思ったりするはずです。伝染病の原因が細菌やウイルスだと科学的に明らかにされている現代でさえ、つい天罰といった言葉が頭をよぎるはずです。

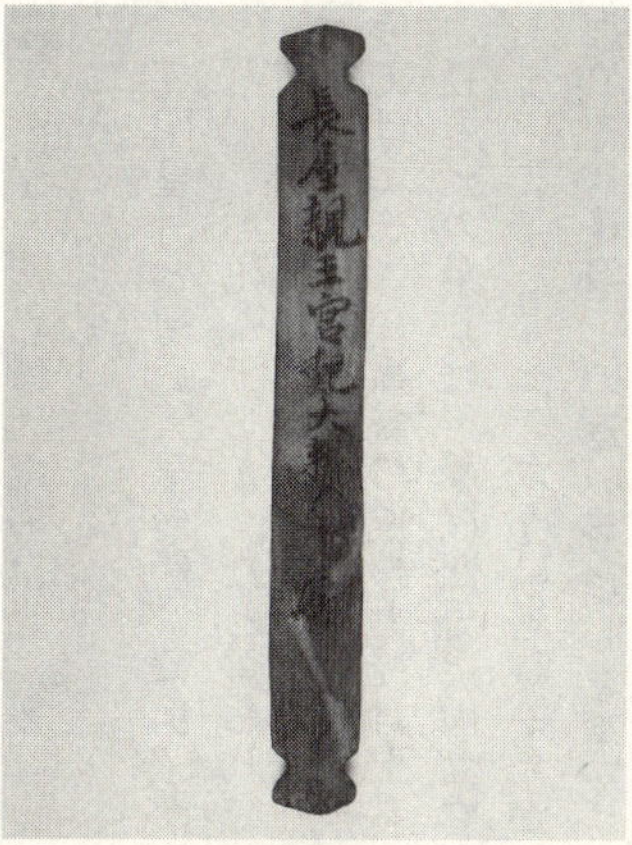
長屋王の木簡（写真提供：奈良文化財研究所）

事件が起きたのは千二百年以上も前のことなのですから、当時の人がそれを長屋王の祟りだと考えたのは当然と言えば当然なのです。これは常識で考えれば分かることでしょう。

光明皇后と聖武天皇の間には男子が生まれませんでした。最初一人生まれたのですが、すぐ死んでしまったと言われています。女子は一人生まれて、それがのちに孝謙《こうけん》・称徳《しょうとく》女帝（二回即位した）となるのですが、男系が断たれてしまうという状態では、まさに皇統の危機と受け取られたはずです。

長屋王の祟りは、藤原四兄弟の命を奪うだけでは足りず、皇統の危機さえ招いてしまいました。そのように当時の人が勘ぐったとしても不思議ではありません。ましてや、長屋王の追い落としを承認（天皇の承認がなければ皇族を罰することはできません）し、藤原四兄弟の共犯者でもあり、皇統の危機の当事者中の当事者である聖武天皇は、長屋王の祟りを無視することはできなかったはずです。

その強大な長屋王の怨霊の力を封じ込めようとして選ばれた「新しい宗教の神」、それが前代未聞の巨大仏像である大仏＝盧舎那仏《るしゃなぶつ》であったと私は確信しています。

●巨大プロジェクトの顚末

もちろん、大仏造立の詔にはそんなことは書いてありません。怨霊を封じ込めるために造ったなどということを、そもそも書くわけがないのです。ボカして表現した結果が国土安穏とか国家鎮護といった言葉になったと思います。先にも述べましたように、国家鎮護という言葉の中身を考えてみれば分かります。それは天皇家の安泰、繁栄ということです。そして、この時代の天皇家は男子が生まれてすぐ死んでしまうような状況、皇統の危機でした。聖武天皇や光明皇后は、これは長屋王の祟りだと当然考えていただろうし、もっと言えば、次に祟りを受けるのは自分たちだと思っていたに違いありません。

だからこそ、大仏造立というビッグプロジェクトをやったのだと理解するべきなのです。実際、それはとてつもなく大きなプロジェクトでした。なにしろ、日本より先に文明化したと言われている中国にも朝鮮にも、あれほど大きな鋳物《いもの》の仏像はないのです。

石仏ならば、中国にも巨大なものがあります。というのは、石仏はちょっとずつ彫っていけばいいわけですから、つくるのが簡単なのです。

ところが鋳物をつくるというのは、桁違いに難しいのです。にもかかわらず、世界最大のブロンズ像をあの時代につくったということは、予算の点から見ても、要した作業年数・労力の点から見ても、想像を絶する大事業だったはずです。現代にたとえるなら、今の日本が有人宇宙船を打ち上げるぐらいのプロジェクトです。それをなぜ敢えてやらなければいけなかったのかというと、やっぱり怨霊信仰があると思うのです。

聖武天皇は熱心な仏教徒だとされていますが、私は仏教以前に怨霊信仰というものが確固たるものとして日本人と日本社会の基礎にあり、怨霊をいかにして封じ込めるかという方法論の一つとして、仏教が取り入れられたと考えています。日本における仏教の受容については、そういうかたちで考えたほうがいいと思います。

現実に、たとえば江戸時代になって「四谷怪談」という怪談話がつくられますが、ここに登場するお岩さんは、誰が見ても怨霊だとすぐ分かります。この怨霊を退散させるために、仏教の僧侶がお経を読むというストーリーになっていますが、お経を読むと怨霊が退散するというのは、日本では怨霊封じの方法論として仏教を採用したということの何よりの証拠なのです。

もちろん、中国伝来の仏教教義をきちんと伝えようとした人たちもいましたし、それを信仰する人たちもいたはずです。たとえば渡来僧の鑑真《がんじん》などは、本来の仏教者であると言っていいでしょう。しかし大枠で言うならば、日本人は仏教をそうい

天皇家系図

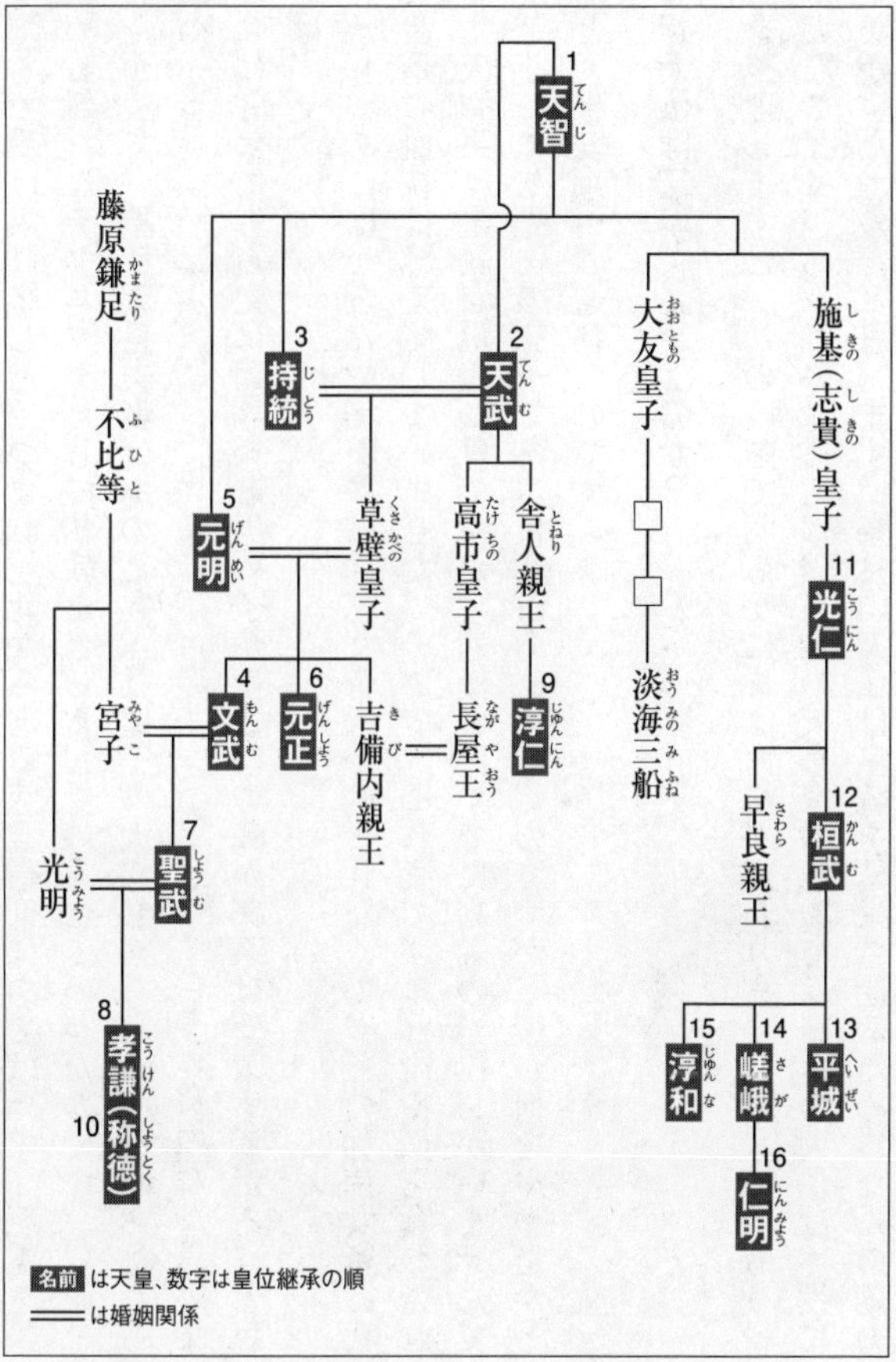
1 天智《てんじ》
藤原鎌足《かまたり》
不比等《ふひと》
3 持統《じとう》
2 天武《てんむ》
大友皇子《おおともの》
施基《しきの》（志貴《しきの》）皇子
5 元明《げんめい》
草壁皇子《くさかべの》
高市皇子《たけちの》
舎人親王《とねり》
11 光仁《こうにん》
宮子《みやこ》
4 文武《もんむ》
6 元正《げんしょう》
吉備内親王《きび》
長屋王《ながやおう》
9 淳仁《じゅんにん》
淡海三船《おうみのみふね》
早良親王《さわら》
12 桓武《かんむ》
7 聖武《しょうむ》
光明《こうみょう》
8 孝謙《こうけん》
10 （称徳《しょうとく》）
15 淳和《じゅんな》
14 嵯峨《さが》
13 平城《へいぜい》
16 仁明《にんみょう》
名前 は天皇、数字は皇位継承の順
＝＝は婚姻関係

うかたちで受け入れました。つまり、元からある怨霊信仰にあてはめて、怨霊を封じ込める新たなテクニックとして仏教をとらえ、受け入れていったのです。

したがって、聖武天皇夫妻はあのとき、長屋王の大怨霊からどうやったら逃れられるのかを考え、そのために仏（大仏）に守ってもらおうと考えたのだと思います。仏に守ってもらえば、きっと男の子が生まれて我が家系は繁栄するだろうと思ったはずです。

しかし、あにはからんや実際には称徳女帝しか生まれなくて、その称徳女帝の代で天武系の血統は絶えてしまいました。そこで、それまでずっと冷や飯を食わされていた天智《てんじ》系に皇統が戻るわけですが、適任者はすでに高齢の光仁《こうにん》しかいませんでした。そして、光仁の息子である桓武《かんむ》があとを継ぐのですが、彼が何をやったかというと、平安京への遷都なのです。

●なぜ大仏は「捨てられた」のか？

話を整理しますと、この段階で明らかにまず血統が変わります。そして、もう一つ重大なことは、ありていに言えば、当時の天皇家の認識では奈良の大仏は「役に立たなかった」のだと思います。奈良の大仏は皇統を繁栄させるためになんの効力もなかったと言わざるを得ませんでした（多量の銅をつくったために川が汚染され、住めなくなったという説もありますが、当時の人はこの汚染自体も祟りととらえたはずです）。

繰り返しになりますが、大仏造立は国家的な巨大プロジェクトです。日本の要《かなめ》になるような大建造物を本当に国家＝天皇家の守護神と考えているならば、その守護神の周りになぜ都（平城京）を続けさせなかったのでしょうか。なぜ都を平安京に遷《うつ》してしまったのでしょうか。

それは大仏も平城京も怨霊退散には適さなかったため、「捨てられてしまった」からです。いわばあの守護神＝大仏は、「役に立たないのではないか？」と、当時の人々、なかでも為政者が思ったからだと思うのです。

だからこそ桓武天皇は都を平安京に遷したのだし、それだけでなく、最澄《さいちょう》、空海《くうかい》を唐に派遣し、新しい仏教を求めさせたわけです。

最澄の天台宗《てんだい》でも空海の真言宗《しんごん》でも、ともに国家鎮護を謳《うた》っていることに注目するとよくわかります。要するにそれまで日本の仏教界を支配してきた南都《なんと》六宗《ろくしゅう》やその巨大モニュメント（象徴）でもある東大寺の大仏が国家鎮護の役目を果たしていたならば、ことさら新しい仏教を入れる必要はないわけです。「国家鎮護の役目を果たしていない」「役に立たなかった」から、新しい仏教を求めたのです。

人間は、なぜ新しいものを求めるのでしょうか。もっと卑近な例で考えてみましょう。なぜ新しいテレビや洗濯機を買うのですか？ それは、古いテレビや洗濯機が壊れたからではないでしょうか。「（壊れて）役に立たなくなったから、新しいものを買う」、まさに同じように考えてみればいいのです。

「なぜ、せっかく巨大プロジェクトとして大仏まで造ったのに、奈良の都＝平城京を捨てて平安京に遷都したのか」、それは、奈良の大仏と旧来の仏教＝南都六宗が「（天皇家の認識では）役に立たなかった」からなのです。

●怨霊信仰の根は深く

怨霊信仰の重要さを理解していない歴史学者がまだ多くいて、たとえその重要性をいくらか理解している人でも、怨霊信仰が始まったのは、それこそ菅原道真《すがわらのみちざね》の時からだと見ています。しかし私は、怨霊信仰の根はもっと深いと思います。菅原道真の時はあまりにも祟りが激しかったので、それまでずっと意識の下に流れていた怨霊信仰がいっきに顕在化《けんざい》したというのが正しい見方だと思います。

たとえば桓武天皇は、弟の早良《さわら》親王を自らの皇太子としながら、藤原種継《たねつぐ》暗殺事件に関与した疑いで皇太子の座を奪い、淡路島に流罪にしましたが、早良親王はその途中で絶食して憤死したという出来事がありました。

その後、桓武天皇の長男が病気になったり、妃が病死するなどの不幸が相次ぎ、早良親王の祟りだとの噂が世間で広まったため、桓武は早良親王の鎮魂の儀式を行い、ついには崇道《すどう》天皇という称号を贈り、さらに大和にお墓をつくって祀《まつ》るというように、親王の怨霊を押さえ込もうと懸命の努力をしたことが知られています。

このように、怨霊信仰というのは菅原道真に始まるのではなく、相当に古い時期、おそらくは日本の歴史の当初からあるのであって、それに対してあとから入ってきた仏教は、怨霊を封じる方法論として期待されたのでしょう。陰陽道《おんみょうどう》にしてもそうです。古代の日本人は怨霊を封じる術《すべ》を、ずっと探し求め続けていたのです。

ということで、この怨霊信仰についての理解がなければ、今回のテーマである「大仏はなぜ見捨てられてしまったのか」という問いかけに答えることはできないということが、お分かりいただけたでしょうか。

第四章

『源氏物語』はなぜつくられたのか

▼日本人の文学による怨霊鎮魂

「あなたは、阪神タイガースの球団事務所にいる女性が『光ジャイアンツ物語』を書くなんていうことが信じられますか？」

●『源氏物語』の世界は、実際と逆になっている

二〇〇八年（平成二十）は、『源氏物語』千年紀ということで、あちらこちらでイベントが開かれたり、マスコミでも話題になったりしました。『源氏物語』が誕生して千年ということですが、実はいつ執筆されたのかは、正確には分かっていません。作者である紫式部《むらさきしきぶ》の日記を見ると、一〇〇八年（寛弘《かんこう》五）十一月の記述に、すでに『源氏物語』が宮中で読まれていたとのくだりがあるため、二〇〇八年を千年紀としたようです。

すでに千年の歴史を刻んだ『源氏物語』ですが、私なりの視点から見ると、大きな問題をはらんでいます。それは言い換えれば、『源氏物語』に関する見方や考え方に問題があるということです。

それはどういうことか、具体的にご説明しましょう。

『源氏物語』で一番の謎は、主人公の光源氏《ひかるげんじ》の存在です。「源氏」というのはいうまでもなく皇族が臣籍降下《しんせきこうか》した人たちで、実在の氏族です。『源氏物語』の登場人物には、モデルがいるとも言われていますが、あくまでも原則は架空の存在です。にもかかわらず、なぜ源氏に限っては源氏という実在の姓をつかっているのでしょうか。それについては、のちに私の考えを述べます。

臣籍降下について簡単に説明しますと、天皇の子供、すなわち天皇家の一員である皇子が、天皇から姓をもらって天皇家（皇族）を離れ、天皇の家臣として一家を構えるということです。天皇の子供でも皇太子はのちに天皇となるわけですが、それ以外の皇子は死ぬまで天皇に面倒を見てもらわなければいけません。ですから、あまりに皇子が多いと天皇家の財政にとって大きな負担となりました。そこで臣籍に降下させて、独立させてしまうという方法がとられたわけです。

『源氏物語』という長大な物語の前半は、いうまでもなく光源氏という貴公子が主人公の物語です。桐壺《きりつぼ》帝という天皇の子として生まれた光源氏は、臣籍降下して家臣の身分になりますが、やがてその優れた能力を認められて出世していきます。光源氏の母親は身分がそれほど高くなかったので、臣籍に下ったほうが、宮廷内での要職につける可能性があるとみて、父である桐壺帝はあえて光源氏を臣籍に降ろしたのです。

出世ルートを歩む光源氏のライバルは、皇族ではない右大臣家でした。その右大臣家との抗争の果てに、光源氏は勝利を収めて輝かしい位につきます。その光源氏は天皇の皇后と抜き差しならぬ仲になり、やがて子供が生まれます。その子供が、のちに天皇の位についたこともあって、光源氏はついに准太上天皇《じゅんだいじょうてんのう》、つまり上皇＝天皇の父に準じる身分にまで上り詰めました。

この『源氏物語』は、実際の歴史上の出来事や人物をモデルとして作られたとされています。しかし、物語の舞台となった当時、政治の世界で現実に起こっていたことをたどってみると、物語の世界で起こったこととかなり事情は異なり、むしろ全く逆と言ってもいい状況だったことが分かります。

光源氏のモデルとなったとされている源融《みなもとのとおる》という人物は『源氏物語』成立の百五十年ほど前、嵯峨《さが》天皇の皇子として生まれ、臣籍降下をした人物でした。この源融や、同じく嵯峨天皇の皇子で臣籍降下した源常《ときわ》という人物は、物語のなかの光源氏と同様、左大臣や右大臣という高い位につくのですが、彼ら皐族系の源氏は、徐々に力を伸ばしてきた藤原氏に次々に追い立てられてしまい、藤原氏が関白や右大臣、左大臣のような位を独占するようになっていったのです。

つまり現実の政界では、源氏は藤原氏に敗れて排斥されているのです。もうお気づきだと思いますが、『源氏物語』で光源氏のライバルとして登場する右大臣家とは、あきらかに実在の一族である藤原氏をモデルにしています。右大臣家はただ「右大臣家」として登場するだけで、具体的な個人名は出てきません。しかし、その当時の中央政界で源氏と抗争していたのは藤原氏なのですから、どう考えても右大臣家というのは、藤原氏がモデルなのです。

●藤原氏が「源氏」を応援する矛盾

もう一度整理しますと、現実の世界では藤原氏は源氏を追い落とし、その結果、栄華を手にします。しかし『源氏物語』の世界では、藤原氏＝右大臣家は源氏に敗れてしまうというストーリーになっているわけです。

注意していただきたいのですが、『源氏物語』の作者である紫式部という女性は、藤原系の中宮《ちゆうぐう》、つまり藤原氏から天皇に嫁いだ皇后のお付きの女官でした。その紫式部が、なぜ現実とは逆に藤原氏（右大臣家）が源氏に敗れるという物語をわざわざ書いたのでしょうか。しかもその紫式部のパトロンとして支援していたのは、当時の藤原氏のトップである藤原道長《みちなが》その人だったのです。

これは普通に考えたら、どう考えてもおかしいはずです。ところが不思議なことに、今まで歴史学界は、このおかしさにほとんど注目しませんでした。

この事態の「おかしさ」を分かりやすく説明すると、たとえば阪神タイガースの球団事務所に勤める女性が「光ジャイアンツ物語」とかいう小説を書いたとしましょう。その小説は、ジャイアンツが大阪の球団――阪神とははっきり記さないけれど、明らかに阪神をイメージしたと思われる在阪球団――をコテンパンにやっつけるという話なわけです。

さて、その小説が大変評判を呼び、ベストセラーになったとして、女性の勤務先である球団事務所の社長とかオーナーは、はたしてこの作品を褒めたり喜んだりするものでしょうか。常識的に考えて、絶対に褒めるわけはありません。それどころか、阪神球団から給料をもらっておきながら、宿敵ジャイアンツが勝つ話を書くとは何ごとだと叱責され、ヘタをするとクビになってしまうかもしれません。

女流作家と藤原氏の関係系図

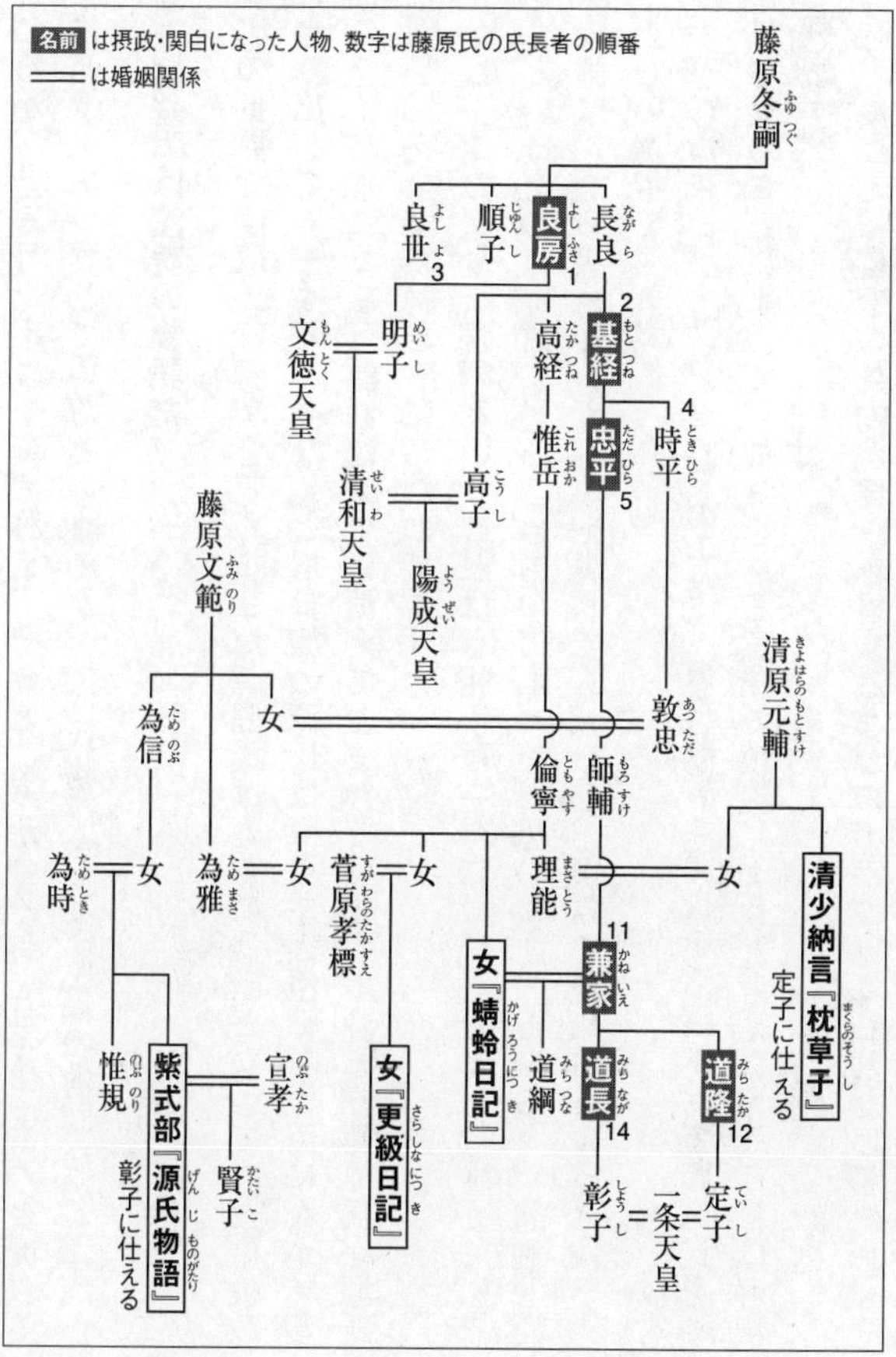

ところが、そうした小説を褒め称え、それどころか金一封を与えてもっと売れるようにバックアップしているというのが、『源氏物語』と藤原氏の構図なのです。

●『源氏物語』は鎮魂の物語だ

現実の世界で藤原氏は勝利を収めました。源氏はのちに武士となってまた中央政界に乗り出してきますが、少なくとも貴族の源氏はもう左大臣や右大臣になって藤原氏のライバルになる可能性は完全に消えてしまっています。つまり藤原氏が源氏を圧倒し、完全な勝利を手にしたのです。

しかし、この完全な勝利ということは、相手は完全に敗北したわけですから、その怨念というものは非常に恐るべきものであったと思います。となると、勝利した藤原氏側は、その怨念というものを少しでも減らし、恨みを緩和させようとするのが、正しい選択です。

ですから物語（フィクション）の中で、彼ら敗者＝源氏を活躍させて藤原氏をやっつけさせることによって、彼らをある意味で鎮魂しようと考えた、そう私は解釈しています。

当時、たとえば自分の身内が健康を害するなどの不幸に見舞われたとしたら、それは即、悪霊の祟りであると認識されたのですから、源氏の怨霊を少しでも慰めようとしたのは当然のことです。そして、鎮魂するということは相手を指名しなければいけないわけですから、単なる光君《ひかるのきみ》物語ではだめで、あくまで鎮魂する対象は源氏であるということを明確にしておかなければいけません。そういう意味で作られた「鎮魂の物語」が、『源氏物語』でしょう。

このように理解しないと、藤原氏が負けるという物語なのに、なぜその藤原氏のトップが応援するのかということの意味がつかめないわけです。

たとえば、少し時代をさかのぼって、菅原道真《すがわらのみちざね》が藤原氏によって失脚させられ、その結果、宮中に落雷させるなどの祟りを及ぼすという事件がありました。藤原氏は朝廷を動かして何をしたかというと、無実の罪だったのですから、まず彼の罪を取り消しました。さらに、生前の道真は右大臣から大宰権帥《だざいのごんのそつ》（大宰府副長官）に格下げになっていましたので、これを復位させて、なおかつ太政大臣《だいじょう》に昇進させてしまうのです。

そして最後には、道真を「天神」（神様）として祀《まつ》るようになります。ところが太政大臣に昇進させるといっても、表の世界、現実の世界には太政大臣がちゃんと別にいるわけで、その道真を太政大臣にするということは、言ってみればフィクシヨンなわけです。でも、当時の人びとは、それでも怨霊に対しては効果があるというふうに考えていたのです。

そう考えますと、『源氏物語』の世界という一つのフィクションの中で、源氏を縦横無尽に活躍させて藤原氏をやっつけさせるということは、道真を復権させて神様に祭り上げてしまうのと同じことになります。源氏全体の怨念を少しでも減らす、消滅させるという目的が、作者である紫式部や、彼女を支援した藤原道長の頭の中にはあったと思います。そういった「陰の目的」のようなものが、『源氏物語』という文学作品が生まれた背景にあると読み取ることが可能になるのです。

●なぜ六歌仙の鎮魂が必要か

『源氏物語』よりも少し前の時期、『古今和歌集』という勅撰《ちょくせん》和歌集——天皇の命により国家事業として編纂《へんさん》された和歌集——が編まれています。この『古今和歌集』の編纂を当時の朝廷から委《ゆだ》ねられたのは紀《きの》一族でした。紀貫之《きのつらゆき》とか紀友則《とものり》とかいった人物が知られている紀氏です。この紀氏も、もともとは藤原氏のライバルでした。皇族ほど強いライバルではありませんでしたが、彼らも藤原氏に追い落とされてしまったのです。

藤原氏はそういったライバル氏族を追い落としていくことで、朝廷を完全に支配する強大な権力を手中に収めました。お公家さん（旧華族）の名前で、菊亭《きくてい》とか徳大寺とか一条、西園寺《さいおんじ》などといったいろいろな姓がありますが、実はそれらのほとんどは元をたどれば藤原氏なのです。藤原の一番高貴な家系である五摂家《ごせっけ》、すなわち鷹司《たかつかさ》とか近衛《このえ》などといった一族が摂政・関白を独占し、右大臣、左大臣などの要職も独占してしまいました。もう紀氏などが入っていく場所はありません。

そういう人たちにフィクションの世界（文学の世界）の担当をさせるということは、それもやはり怨念封じの意味があると思います。そして、『古今和歌集』の編纂を任された紀氏が何をやったかというと、「六歌仙」と呼ばれる歌人たちを持ち上げ始めます。六歌仙というのは単純にいえば、これは六人の歌の聖なる名人ということで、具体的には、僧正遍昭《そうじょうへんじょう》・在原業平《ありわらのなりひら》・文屋康秀《ふんやのやすひで》・喜撰法師《きせんほうし》・小野小町《おののこまち》・大友黒主《おおともくろぬし》の六人をさします。

この面々を見て、どう考えてもおかしいのは僧正遍昭とか大友黒主という、百人一首など、他の和歌集には取り上げられていないような歌人が入っていることです。

こういった歌人が、六歌仙という「代表選手」として選ばれた裏には、何か事情があるのではないかと思い、彼らのことをよく調べてみると、在原業平とか小野小町もそうなのですが、紀氏や、文徳《もんとく》天皇が紀氏の女性に産ませた惟喬《これたか》親王との関係が浮かび上がってきました。

惟喬親王は文徳天皇の長子ですから、本来は天皇になるはずでしたが、藤原氏の横槍で弟の惟仁《これひと》親王（のちの清和《せいわ》天皇）が後継者となってしまいました。惟仁親王の母親は藤原氏の女性で、当時、最大の権力を誇っていた藤原良房《よしふさ》が外祖父だったのです。

結局、惟喬親王は天皇になれずに終わりました。つまり、恨みを抱いて亡くなったわけです。その惟喬親王の周辺にいた、言ってみれば忠臣蔵の忠臣のような人たちが、どうもこの六歌仙の面々ではないかと考えられるのです。彼らはみな紀氏の関係者であり、惟喬親王の側近だったり、血縁的に非常に近い人たちでした。

ということはどういうことかというと、紀氏は『古今和歌集』の編纂を通じて六歌仙を持ち上げることで、惟喬親王が失脚したために栄達を阻まれたという彼らの恨みを減らし、彼らの怨霊（となるかもしれない恨み）を鎮魂していると、私は考えています。

そして、その六歌仙の鎮魂を黙認しているということは、実は藤原氏も、かつて政治的に追い落とした人々に対し、文学のかたちをとって鎮魂するということを認めているのだと思います。

現実の世界で、紀氏や源氏が再び左大臣、右大臣となって藤原氏に対抗するようなことは許さないけれども、フィクションの世界では許すという一種の二重構造の中で、藤原氏の側からいえばかつて倒した敗者たちの怨霊を封じ、自らの子孫の安寧を保つという意識が働いているのだと私は分析しています。

だから『源氏物語』という文学作品はできたわけで、世界最初のロマンとか大河ロマンとか、いろんな言い方はありますが、少なくともそれを成立させることを許さしめた考え方の中には、怨霊信仰というものがあるのは間違いないと言えると思います。

●「供養」は本来の仏教ではない

これもまた、歴史学者、国文学者が指摘してはいませんが、私は『源氏物語』は純粋に文学的な動機によって生み出されたというよりも、怨霊鎮魂をすることで一族の安寧と繁栄を図ろうとする、政治的な勝者の「意図」を汲んで創造されたという側面が強いように思えます。

たとえばキリスト教の社会では、サンピエトロ大聖堂とか、あるいはミケランジエロのダビデとか、ダ＝ヴィンチの諸作品とか、芸術作品の多くはキリスト教という宗教がバックボーンにあって、大きな意味で言えば、それを宣伝するような目的を含んで作られたものです。

日本もまったく同じだと思うのです。怨霊信仰というのがキリスト教のようにバックボーンとしてあって、そのバックボーンの要請を受けて作られた芸術作品があったに違いありません。それが『源氏物語』であり、「奈良の大仏」もそうだと思うのです。

菅原天神となった菅原道真に関して言えば、国宝となっている『北野天神縁起絵巻《きたのてんじんえんぎえまき》』なども、そうした芸術作品とみなすことができるでしょう。あの絵巻は、怨霊である菅原道真がいかに悪い奴らを懲《こ》らしめたかというのがテーマなわけですから。

つまりあなた（道真）はそれほど強く正しく、あなたを追い落とした悪い奴ら（藤原氏）をやっつけましたよという絵を描くことによって、怨霊鎮魂をしているわけです。

こうした鎮魂の営みは、のちに仏教では「供養《くよう》」という言い方をするようになりますが、仏教は本来個人の「解脱《げだつ》」が目的です。大乗《だいじょう》仏教は民衆の救済が目的ではありますが、基本的にはいかにして仏になるかの教えであって、目指すものは、たとえばその目的を果たすための極楽往生なわけで、怨霊の鎮魂というのは本来のテーマではありません。

仏教の本来の立場からすれば、人間は誰でも極楽に行けば（あるいは仏に成れば）幸せになれるのですから、怨念をいちいちはらす必要はないわけです。

にもかかわらず、日本の仏教というのは、実際には怨念をはらすための方法論として受け入れられていきました。

典型的な例が江戸時代の、前にも述べた「四谷怪談」に出てくるお岩さんです。お岩さんは、経文《きょうもん》を読まれると、その霊験《れいげん》で引っ込んでしまうのですが、これは本来の仏教の考え方から言ったらおかしいのです。お経というのは、怨霊封じの呪文ではありません。にもかかわらずいつのまにか怨霊封じの方法論になってしまい、日本人はお経による怨霊封じを「供養」と呼ぶようになっているのです。

また、不幸にして亡くなった人や恨みをのんで死んでいった人に対して、「これじゃあ、あの人も成仏《じょうぶつ》できないだろう」という言い方がよくなされます。ところが、成仏というのは本来、人が仏に成ることであって、たとえば浄土真宗＝親鸞《しんらん》の教義で言えば、「南無阿弥陀仏《なむあみだぶつ》」と唱えれば誰でも極楽往生できて成仏の道が開かれるのですから、その個人が怨念を持って死んだからといって、成仏できないということはあり得ません。それは仏教の考え方には本来ないことなのです。

にもかかわらず、お経による供養＝怨霊封じがなされ、成仏という言葉が本来の意味を離れて使用されているということは、いかに日本人の怨霊信仰が強いかということを示しています。怨霊信仰という日本独自の宗教が大きな影響力を持っていて、怨霊の怖さを恐れるからこそ、第二章の憲法十七条のところでお話ししたように、「和」というものを大切にするということが出てくるわけで、和を求めるということと、怨霊を恐れるということは、実は表裏《ひょうり》をなしているのです。

以上述べてきたような、我々日本人の信仰の本質に気がつかないと、『源氏物語』の成立における矛盾、タイガース（ジャイアンツ）のオーナーが、「タイガース（ジャイアンツ）が『巨人（阪神）』に負けてしまう物語」やその作家を応援してしまうという不可思議がなぜ起こるのかを、理解することはできないのです。

第五章

源実朝はなぜ暗殺されたのか

▼仮説から結論を導き出す方法

「あなたは、労働組合の代表が会社社長と仲良くしていることを許せますか?」

●日本人は「言霊」に左右されている

「日本人は無宗教である」というようなことがよく言われますが、これは私が何度も指摘しているように正確ではありません。一神教の神に対するような信仰は、確かに日本では主流にはなりませんでしたが、宗教あるいは信仰に関する大きなバックボーンの一つとして「言霊《ことだま》信仰」「怨霊信仰」というのがあるわけで、その意味において、けっして日本人が無宗教であったり、信仰心がないわけではありません。

言霊信仰というのは、ある出来事や事象を具体的に言葉にして発する（口にする）と、実際にそれが実現するという信仰です。言葉の持つそうした不思議な力や作用を「言霊」と呼ぶわけです。

「口にしさえすれば実現する。だから逆に、起こってほしくないことは言わない」という、これは必ずしも昔の話ではなくて、今でもあることです。たとえば憲法九条という非戦を謳った条文を持つ平和憲法を守れば、日本は「平和である。もしくはあり続ける」と頑《かたく》なに信じていることなどです。逆に言えば、憲法の悪口を言うことは、「平和を乱す行為である。絶対に許さない」ということになります。

こうしたことを司馬遼太郎はかつて、「平和念仏主義」と呼びましたが、われわれがどれだけ声高に平和を叫んだからといって、それだけで平和は実現できません。戦争を避けたり、平和を実現したりするためには、当たり前の話ですが、現実に立脚した具体的な施策を行い、政治・外交・軍事に及ぶ粘り強い努力が必要なのです。

にもかかわらず、ただ平和を口にしさえすれば、本当に平和が訪れると思い込んでいる人が少なくありません。現代においては、あまりにも幼稚で無責任な態度と言わざるを得ませんが、実はこうした言霊信仰は、日本人が伝統的に持っていたものであり、その本質を歴史のなかで見通すという作業をしなければ、そう簡単には克服できない国民性でもあるのです。

●軍隊が本当に平和の障害になるのか？

われわれの先祖というのは、言葉に対して強い信仰を持っていました。これにはプラスの一面もあり、たとえば『万葉集』という、世界文学史において特筆すべき作品があります。

この『万葉集』では、天皇という最高権力者から防人《さきもり》のような末端の兵士に至るまで、同じ土俵で歌を詠み、しかもそれが一つの歌集の中に共存しており、こんな歌集は、世界中どこを見回しても存在しません。

日本より文学的伝統の古いところでは、たとえばギリシア、ローマ、中国などには、古代の詩歌を集めた詩集・歌集が残されていますが、そこに収録されて現代にまで伝わっているのは、王侯貴族に代表される特権階級や、一部の天才が作った歌ばかりです。つまり名作ばかりが残りました。

しかし、庶民の歌まで残っていて、その中には現在の視点から見てもなかなかの秀作があるというのは、実は日本だけです。

それはまさに言霊の国、言葉の持つ力に自覚的で敏感な国民性によるもので、そこにはいい面もあるのですが、逆にその悪い面もあります。それは、あまりに言葉に対する信用が強すぎて、その結果何が起こるかというと、実際の物事の処理をしなくなってしまうのです。

たとえば平安時代の人間たちが軍隊というものを廃止してしまったことです。今でも「自衛隊なんかがあるから平和にならないんだ」というようなことを口にする人がいます。つまり軍隊というものをつくっておくと、それが平和の障害になるというふうに考えるわけです。だからそういうものをなくそうということで、実際、平安時代後期の日本はそれをやったわけです。

その結果どうなったかというと、特に地方においては治安が乱れに乱れてしまいました。軍隊というのは治安維持機能もあるので、それがなくなれば治安が乱れるのは当然のことです。誰も抑える者がいないのですから、悪党とか夜盗、強盗、山賊、海賊のやりたい放題になってしまったのです。

そこでどういうことが起こったかというと、自分の生命、財産は自分の力で守ろうという自覚を持った人々が登場します。当然この人たちは言霊の信仰者ではなくてリアリスト（現実主義者）です。これが「武士」というものです。

貴族たちは言葉だけ飾って何もしないものですから、当然実際の政治、軍事、警察に関わるような汚れ仕事は忌避《きひ》します。するとと、貴族たちが自分の手を汚すのは嫌だといって（ここにはケガレを忌避《きひ》するという別の信仰があります）やらないことを武士たちが代わりにやらざるを得なくなり、結果として、彼ら武士はどんどん中央政界にも進出してくることになりました。

たとえば、もっと時代がさかのぼれば、聖徳太子が自ら剣を取って戦うなど、皇族でも貴族でも武力との関わりがありました。ところが、平安時代末期にもなると、彼らはそういうことはいっさいしなくなります。

しかし、たとえ武力は手放しても、権力は保持していたいと考えた貴族たちは、武士団を雇って戦争をやらせることにしました。本来戦争というのは、自らの政治的目的を達したり、自らの利害関係に決着をつけるためにやむを得ずするものですから、自ら武器をとって戦うというのがあるべき姿でしょう。

しかし平安貴族たちは、政治的な対立や構想が頂点に達したとき、互いに武士団を雇って戦争をやらせることで、解決をしようとしました。いわば武士団同士によって行われる代理戦争で、そのもっとも早い時期の例が「保元《ほうげん》の乱」（一一五六年）

武士団を台頭させた2つの戦い

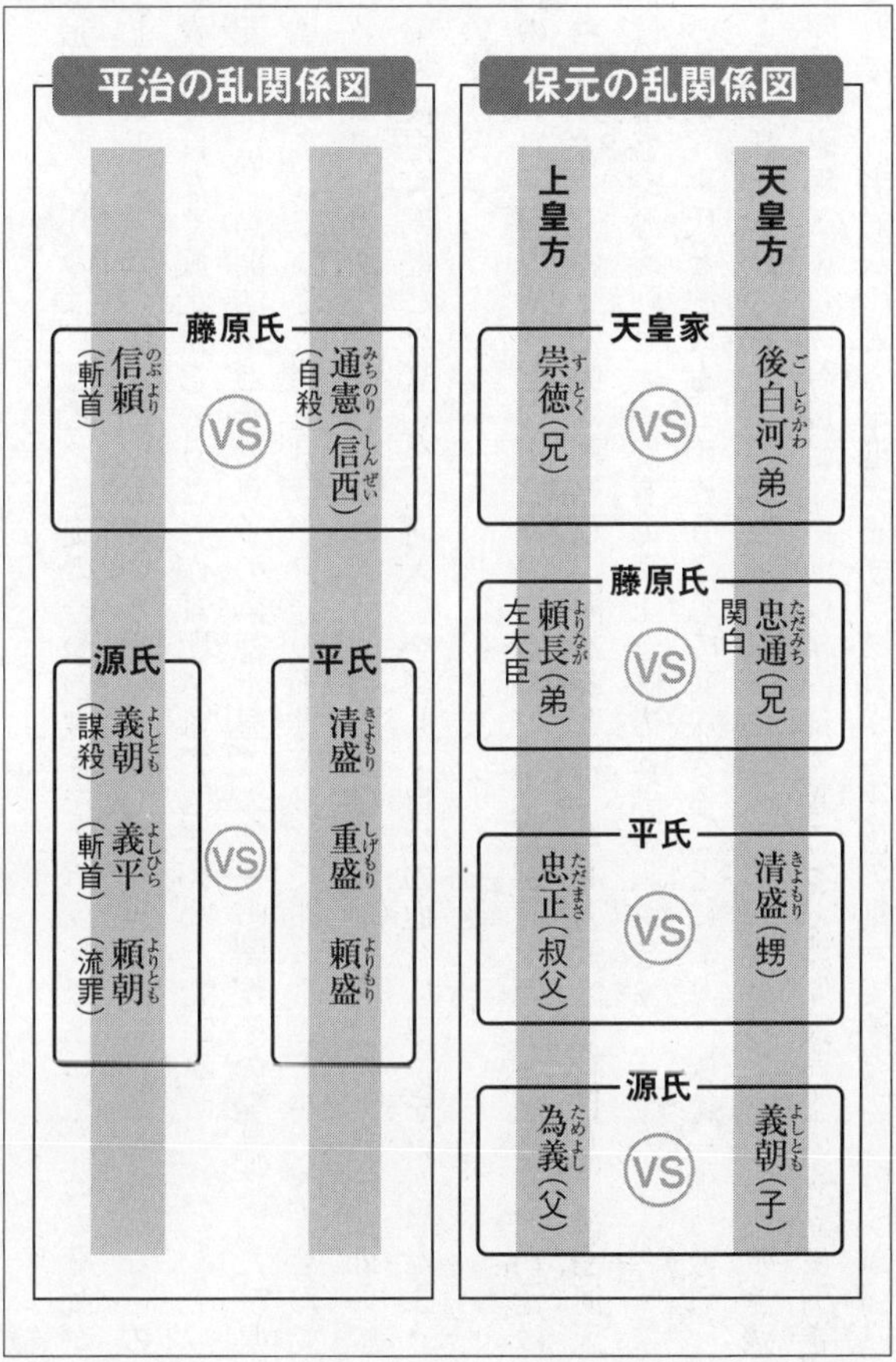

です。

保元の乱というのは、日本の歴史の一つの大きなエポックであって、この騒乱が勃発したことで、この国を動かしているのは、そして今後動かしうる存在となるのは、貴族ではなく武士だということが証明されてしまいました。

保元の乱は、鳥羽《とば》法皇とその息子の崇徳《すとく》上皇との親子喧嘩がその発端でした。鳥羽法皇に疎《うと》まれていた崇徳上皇は、自分の子供を皇位に即けることができませんでした。そこで、鳥羽法皇が亡くなると、崇徳上皇は父の寵愛を受けて皇位に即いていた弟の後白河《ごしらかわ》天皇と対立、後白河天皇を廃して自分の血統に皇位を継承させようと願います。

この争いに、藤原氏内部の摂関家の継承をめぐる兄弟同士の争いが絡《から》み、朝廷は二分されます。崇徳上皇側は平忠正《ただまさ》、源為義《ためよし》といった有力武士を動員し、後白河天皇側は平清盛《きよもり》や源義朝《よしとも》といった有力武士を味方に引き入れます。

その結果、平氏と源氏も二手に分かれて対決することになり、崇徳一派は敗れ、味方した平氏と源氏の武士たちも処刑されます。そして、勝者の側について生き残った平清盛と源義朝は、今度は後白河政権内部で起こった藤原氏同士の対立に引き込まれて、両者対決のときを迎えます。これが「平治《へいじ》の乱」です。

この戦いの結果、勝者となった平清盛はやがて平家一門の全盛時代を築きます。その一方、敗れた源義朝は処刑され、源氏一門は一時的に凋落《ちょうらく》の途をたどります。しかし、やがて、この義朝の子である源頼朝《よりとも》が、弟の義経《よしつね》などの力も借りつつ、東国武士団の兵力を糾合《きゅうごう》して平氏打倒を果たし、東国に武士政権を樹立することになります。

以上のような武士団同士の抗争劇が、いわゆる「源平合戦《げんぺいがっせん》」と呼ばれるものです。

こうした抗争に次ぐ抗争を繰り返すなかで、武士団というものが実際にこの国を動かしているということがだんだん明らかになっていきます。そして、何もしない朝廷や貴族に代わって武士たちが政権を取ったというのが鎌倉幕府なのです。

表面的には、源氏が平氏を倒して政権を打ち立てたという物語として語られますが、その本質をじっくりと見つめるならば、相次ぐ武力抗争のなかで実力を認められ、自らも自覚しだした東国を本拠とする武士たちが、そうした武力行使を含む「汚れ仕事」を忌避して完全に手放してしまった貴族たちに代わって作り上げたのが、鎌倉幕府というものの本質であることがお分かりいただけるでしょう。

●公武二元政治の意味

その鎌倉幕府について、日本史上の大きな謎の一つがあります。それは、なぜ鎌倉政権は朝廷を滅ぼさなかったのかということです。

さきほど、貴族は軍事とか警察とかいった、日本人が一般的に手を汚すこととして意識される仕事を忌避《きひ》したと言いましたが、実は武士たちもまた、心の奥底では「そういう仕事はやっぱり身分の低い人間がやるものだ」という意識を抱えていたのです。つまり、花鳥風月を詠んだり、芸術を讃《たた》えたりするようなことが本当の意味での正しいことだと思っていました。それを実際にやっているのが、朝廷勢力です。

武士たちには、自分たちがそういう朝廷勢力には及びもつかない存在であるという旧来の意識が心の底にあったので、武家と貴族との間で「朝廷は文化とか伝統とか、祭祀《さいし》といったものに携わる。一方、実際の政治は武家でやる」という棲み分け、つまり二元体制ができていきました。

外国では両方とも一つの政権が手がけるというのがスタンダードなあり方ですから、一つの政権が成立すると前の政権は滅ぼされてしまうというのが普通です。ところが、日本の場合は新しい武家政権ができても、貴族の政権、すなわち朝廷を潰そうとは思わず、いわば共存してゆくことになります。

こうした公武併存体制は、こののちずっと続き、「実際の政治は武士がやり、文化的な事業、あるいは祭祀は朝廷貴族がやる」ということの分担状態が基本的には幕末まで続きました。

もちろん、こうした公武併存体制ができた当初は、朝廷のなかにも、武家に奪われた形となる「生臭い政権（政治）」を手放したくないと思う人も残っていました。ちょうどそんなとき、鎌倉幕府では創業者頼朝の子孫が絶えるという事件が起きます。三代将軍実朝《さねとも》が暗殺されてしまい、源氏の正嫡《せいちゃく》が絶えてしまったのです。

そこで、これは政権を取り戻すチャンスだと、当時の後鳥羽《ごとば》上皇とその周辺の公家たちが起こしたのが、「承久《じょうきゅう》の乱」です。

昔は「承久の変」と言いました。「乱」というのは基本的には反乱の意味で、下位の者が上位の者に対して起こすことを普通は「乱」と言います。

ですから、この戦いは天皇（上皇）が起こしたのであるから、承久の「乱」ではおかしいというのが戦前の考え方だったのです。

私は、この公武の戦いは、やはり「承久の乱」と呼ぶのが正しいと思っています。といっても、天皇の身分が低いという意味ではありません。日本人というのはそもそも、すでに出来上がっている政治状況や、話し合いによって築いた和の体制というものを乱すことを「乱」と呼んできたからです。

ですから、この当時の言葉で「主上御謀反《しゅじょうごむほん》」という言い方が現実にありました。主上というのは、もちろん天皇のことです。謀反人に敬称の御をつけるのは本当はおかしいのですが、天皇という身分的に最高位の人間ですら、あるいはその上の上皇であってすら、現実にちゃんと出来上がっている平和を乱すようなことをしてはいけない、そういうことは悪いことである、という意味で主上御謀反という言葉が使われたのでしょう。

これは、聖徳太子の憲法十七条を取り上げた第二章で触れましたが、和でできた体制が何よりも大切であって、天皇の意思よりも優先されるという考え方と通じるものです。そういう考え方からすると、「承久の変」というのは、やはり主上御謀反であり、だからこそ正当性を獲得することはできず、武士の多くは鎌倉幕府方についてしまい、後鳥羽上皇側は敗れてしまったのだと思います。

上皇側が敗れたもう一つの理由は、これは滑稽な話なのですが、後鳥羽上皇側は自前の兵力を持っていなかったということです。

幕府（＝武士の政権）から政権を奪い返したいが兵力はない。そこで考えたのが、自ら剣を取ろうということではなく、結局は武士たちを雇うということで、保元・平治の乱のころとまったく同じ発想だったのです。

武士の政権をつぶすのに武士たちを雇い、内輪もめを起こさせるというやり方ですから、これは上手くいかないのも当然です。もはや武士たちは、貴族の言うことをただ承るだけの傭兵ではありませんでした。多くの武士たちは、幕府執権の北条義時《よしとき》を討てという天皇や上皇の命令が出たにもかかわらず、鎌倉幕府側について戦いました。

のちに後醍醐《ごだいご》天皇は鎌倉幕府を倒して建武政権を打ち立てますが、その頃には武士同士の利害の対立が頂点に達していたので成功したという側面もありました。しかし、後鳥羽上皇の時代は鎌倉幕府が成立してから日も浅く、幕府はあくまでも武士の利害を代弁し、守ってくれる存在だったわけです。

●頼朝は殺されたのか？

幕府が武家政権としての正当性や権威を持つことができたのは、創業者が源氏の棟梁《とうりょう》である源頼朝だったからです。しかし、源氏将軍がわずか三代で絶えてしまったにもかかわらず、幕府はつぶれませんでした。それはなぜかというと、やはり源氏はあくまでも神輿《みこし》だったからではないでしょうか。

頼朝という人は大変優秀な人で、自分が神輿であるということもある程度分かっていた節があります。つまり自分は武家たちの利益代表者となって、朝廷と交渉する存在なのだと、かなり自覚していたと思うのですが、武士の権益を朝廷に認めさせることによって、自分は武家政権のトップに立てる、それが将軍の地位だということも認識していた節があります。

ところが、その頼朝も最高権力の立場に立つと、今度は朝廷と接近しようとし始めます。具体的には自分の娘を天皇家に入内《じゅだい》させようとしたのです。そうした最中に頼朝は突如として亡くなってしまいますが、この頼朝の死は暗殺だと私は思っています。

なぜなら、晩年の頼朝が朝廷との接近を図ったというのは、武士たちの側から見れば、それまで自分たちの代表として信頼していた労働組合の委員長が、気がつくと経営側と裏で通じ、癒着《ゆちゃく》していたようなもので、当然、これは許せないということになったと思うからです。

実は、頼朝の死の詳しい事情というのはよく分かっていません。その最大の問題は、鎌倉幕府の公式記録である『吾妻鏡《あずまかがみ》』にあります。公式記録であるにもかかわらず、『吾妻鏡』には、頼朝が死んだ頃の記事が抜け落ちているのです。

これは、のちに幕府政権を継いだ執権《しっけん》の北条氏一族が、何か表に出したくない事情があって、ひそかに「調整」をしたと考えるのが自然でしょう。とにかく頼朝といえば鎌倉幕府の初代将軍であり、徳川幕府でいえば神君と呼ばれた徳川家康のような存在であるはずです。その神君の死の事情が詳しく載ってないというのは、明らかにおかしいと思います。

何年かあとの記述に、源頼朝が相模《さがみ》川に架かる橋の落成式に出かけた時に馬が暴れ、落馬して大怪我をしてしまい、その怪我がもとで死んだという話が出てきます。しかし、それはあくまでも後日談のようなかたちで書かれているわけで、落馬した当日の記録自体がないということは、まことに不自然な話です。

「北条氏は何を隠そうとしたのか。何を隠さなければならなかったのか」

私は、頼朝という人物は、最初は武士の代表者として動いていたのに、朝廷にすり寄るような姿勢を示したことによって、武士たちから絶縁状を突きつけられたのだと思っています。その長男である頼家《よりいえ》も、次男である実朝も、のちに暗殺されてしまいます。最後の源氏将軍である実朝は、兄の頼家の忘れ形見である公暁《くぎょう》に殺される（ということになっている）のですが、その暗殺される理由というのは、やはり朝廷との接近が理由だったと思うのです。

また頼朝は、娘を天皇家に嫁がせようとしただけではなく、朝廷との和合ということも十分に考えていました。その証拠が、鎌倉に巨大な社殿を築いた鶴岡八幡宮です。鶴岡八幡宮で祀っている八幡神というのは、当時は応神《おうじん》天皇だと考えられていました。つまり、八幡神は確かに源氏の氏神ではあるのですが、もとをたどれば天皇にたどりつくものなのだということが、十分に意識されていたはずです。

その鶴岡八幡宮を鎌倉政権の神殿的な地位に置いたということは、どう考えても頼朝は、朝廷との和合路線を考えていたということなのです。

●実朝が鶴岡八幡宮の社頭で殺された理由

その子の実朝となると、歌ばかり詠んでいた、ひ弱な将軍というイメージがありますが、歌を詠むという行為は、それだけでもすでに朝廷と親しい関係にある、あるいは親しい関係を志向していたことを示しています。天皇の命令で、天皇の名において多くの歌集が編まれたことを思い起こしてください。歌を詠むことと天皇家とは、切っても切れない深い関係にあるのです。

しかも実朝は、後鳥羽上皇から『古今和歌集』を贈られています。これは勲章をもらったようなもので、「お前は朝廷の一員であるぞ」と認められたようなものです。

実朝は右大臣にまで出世しますが、この「大出世」は、一般には朝廷が実朝を失脚させるためにどんどん位を上げていったという見方がよくされます。これは「位討《くらいう》ち」あるいは「官《かん》討ち」と言いまして、分不相応な高い位につくと、その人が身を持ち崩して不幸になったり、早くに死んでしまうという呪いの一つと考えられていました。室町幕府の三代将軍足利義満《あしかがよしみつ》なども、この「位討ち」によって急死したという考えもありました。

しかし、少なくとも実朝に関して言えば、私は「位討ち」とは違い、朝廷は実朝という人間を頼もしく考えていたから位を高く上げて、朝廷の側に取り込もうとしたのだと思います。

ですが、実朝が朝廷に取り込まれて困るのは武士たちです。

結果として彼に何が起こったかというと、彼の右大臣就任のために京都から多数の貴族がお祝いに来ているというタイミングで、しかも、こともあろうに頼朝が朝廷との和合を念頭において建てた鶴岡八幡宮の社頭で殺されてしまったのです。

この社頭で殺されたということには、非常に深い意味があると思います。確かに社頭のようなところだと警戒が薄いということはありますが、別な見方をすれば、右大臣の就任式ですから、鎌倉武士たちがいっぱい詰めていたわけで、暗殺を狙う場所としては必ずしも適切とは思えません。ただ確実に殺害を成功させようと思うのならば、それこそ実朝の兄頼家が暗殺された時のように、湯殿にいるところを狙うとか、いくらでもやり方はあったはずです。

それを、こともあろうに神域で暗殺しました。神域を血で汚すということは、昔の人は非常に恐れていたはずなのにもかかわらずです。

それでも鶴岡八幡宮の社頭で暗殺を実行したということは、鎌倉政権側の断固たる意思を示すもので、つまり朝廷とは和合はしないぞという強い姿勢を示すための演出だったと、私は考えています。

殺害の実行犯は、公暁《くぎょう》とされていますが、彼はちょうど、ジョン・F・ケネディ大統領の暗殺の時のように、つまり、ちょうどケネディを撃ったオズワルドがすぐジャック・ルビーに殺されてしまったように、すぐに殺されてしまいます。

そもそも、本当に公暁が実朝暗殺の実行犯だったのかどうかもわかりません。よく調べてみると、実朝を殺した人間は、真っ暗で人の顔の見分けがつかないようなところで殺害を実行し、「俺は公暁だ」と名乗ったといいます。しかも、そこに参列していた貴族たちは公暁の顔も声も知らないのです。そして、三浦氏の邸宅前で公暁は討ち取られます。ですから、暗闇のなかで実朝を殺したのが本当に公暁だったという一〇〇%の証拠はないのです。

公暁は実朝を殺して自ら将軍になるつもりだったとも言われていますし、実朝殺害の背景には、源氏の嫡流を排除して幕府の実権を奪取しようとする北条義時の策謀があったとか、公暁の後ろ盾となっていた御家人《ごけにん》三浦氏と北条氏との政治抗争が背後にあったとか、さまざまな説が唱えられています。

しかし、むしろ私は、源氏一族はもう要らない、こいつらは裏切り者だから殺してしまおうという、北条氏や和田氏、三浦氏といった鎌倉武士団の総意で、実朝は抹殺されたと考えたほうが自然だと思っています。

結果として、その後、幕府の実権は北条氏が握ることになったので、実朝暗殺は北条氏の野望実現のために実行されたと推理する人も少なくありません。しかし、もしそうだとしたら、つまり北条氏の私的な野望で将軍暗殺がなされたのであれば、いくらなんでももう少し北条氏に対する反発のようなものが起こったはずでしょう。それがなかったのは、やはり実朝暗殺は鎌倉武士団の総意だったからだと考えるべきだと思います。

だからこそ、将軍が殺されるという一大事のあとでも、政権自体は瓦解しなかったのです。要するに鎌倉幕府というのは武士の権益を守るための政権です。だから朝廷にすり寄ろうとした源氏は要りません。その源氏を排除してしまえば、あとは飾りものの将軍を京都からもらってくれば問題はなく、武家政権は我々だけで運営できると、彼らは考えたのでしょう。

ただし、その後は北条や和田といった御家人同士の争いがあって、最終的に北条が勝ったという経緯はあります。しかし、源氏一族を排除するということについては、やはり鎌倉武士団の総意だったと考えるのが、一番自然な考え方ではないかと思います。

それなのに、現在の歴史教科書では、頼朝はもちろん何の疑いもなく、ただ死んだという事実が記されているだけです。実朝についても、暗殺されたということは書かれていますが、たとえばこれも標準的な高校の日本史教科書である『詳説日本史』（山川出版社）でいうと「1219（承久元）年、将軍実朝が頼家の遺児公暁に暗殺された事件をきっかけに、朝幕関係は不安定となる」と、実にあっさりとした記述のみです。

鶴岡八幡宮

ことは、犯人が誰だったかというような単純な話ではありません。私は、実朝という人は朝廷との接近を積極的に図った政治家であって、その積極路線が在来の武士たちの怒りを買って殺されたのだと解釈するような歴史の見方が重要なのだと思います。

つまり、実朝暗殺の真相を追究することは、鎌倉幕府や、そもそも武家政権というものはどういう歴史的な位置づけをすべきものなのかという非常に大きな問題に迫る糸口になるのです。

教科書であるから、確かな証拠があることしか書けないという事情はわかります。しかし、政治的な事件の背景や因果関係を省いてしまって、「頼朝が死んだ」「実朝が暗殺された」とだけ書かれた教科書を読んで、はたして学生や子供たちが歴史に興味が持てるのでしょうか。かえって無味乾燥な暗記科目だという印象だけが強くなって、歴史をまともに学ぼうなどという気持ちはどこかに失せてしまうに違いありません。

冒頭に掲げたような、「あなたは、労働組合の代表が会社社長と仲良くしていることを許せますか?」という、人間の当たり前の常識に基づいて歴史を解釈し、その結果、鎌倉武士団にとって源氏将軍はいつしか排除すべき存在になっていたという「仮説」から考えていって「ある結論」を導き出すことを教えるのと、ただひたすら年号の暗記を教えるのと、はたしてどちらが大事か、答えは明白だと思います。

第六章

足利義満はなぜ突然死したのか

▼史料を疑うことで見えてくる真相

「あなたは、ある資産家が病気で死ぬことが分かったとき、その人が何も言い残さずに死んでいくことがあり得ると思いますか?」

●天皇になろうとした将軍

足利義満《あしかがよしみつ》という人物については、私は以前に『天皇になろうとした将軍』(小学館刊)という本で真正面から取り上げたことがあります。そこで語ったことは、一言で言えば「義満は明らかに天皇に成り代わろうとしていた」という事実です。

義満による皇位簒奪《さんだつ》の意図は動かしがたい事実だと思いますが、その構想をより具体的に言うと、自分の息子を天皇の地位にすえて、自分は天皇のお父さん、すなわち上皇(太上《だじょう》天皇)の格式を得ることによって天皇家を乗っ取ろうとしていたということなのです。

近年、「治天《ちてん》の君」という言葉が注目を集めています。これは天皇を退いて上皇や法皇となった元天皇、すなわち「院」のことで、同時期に何人もいる場合は、その最高実力者を指します。中世においては天皇家の家長にして実権者と位置づけられています。中世においては事実上、天皇家のトップにしてこの国のトップは「治天の君」だったという説が有力になってきているのです。

つまり、義満は自分が天皇になろうとしたのではなく、この「治天の君」になることによって、国家の実質的な支配者となろうとしたと考えていいと思います。

こうした考えは、戦前は絶対にタブーだったのですが、戦後は天皇に関わるタブーもかなり解消されたので、義満が皇位を奪おうとしたというところまでは、多くの学者さんも認めていると言ってもいいと思います。

問題はそのあとです。結局、義満は皇位簒奪を実現することはできませんでした。その計画途上で、義満本人が死んでしまったからです。それも急死でした。

その急死に関して、これまで疑問が持たれたことはほとんどなかったのですが、私は明らかに暗殺であると、以前から考えています。というのは、もうこれ以上、義満の存在を放置しておくと、彼が溺愛《できあい》する次男の義嗣《よしつぐ》（長男の義持《よしもち》はすでに第四代将軍に就任している）が皇太子になってしまい、当時の天皇であった後小松《ごこまつ》天皇が崩御《ほうぎょ》すれば、自動的に足利氏が皇位を受け継いでしまうという、そういう状況になっていたと見るからです。

つまり皇統が天皇家の血筋から足利氏に移動してしまうという、皇位継承の最大の危機が目前に迫った、切迫した状況だったということです。

ところが、義満の皇位簒奪計画までは認めた学者さんたちは、この暗殺説についてはおしなべて否定します。あくまでも当時の公式見解どおりに病死だったと決めてかかっています。

彼らがあくまでも病死に固執する一番大きな根拠は、まず暗殺だったとする史料がないということなのです。それは私に言わせればバカな話で、ときの最高権力者が暗殺されたなどという「不名誉」なことが公式記録に残されるわけがないのです。

例外もあります。たとえば幕末の桜田門外の変です。これは幕府の大老井伊直弼《いいなおすけ》が、江戸城の桜田門外で白昼堂々と水戸浪士らに襲撃され、殺害されたという事件です。なにしろ白昼堂々、将軍のお膝元で殺害されたのですから、もはや隠しようもありませんでした。したがって記録にもはっきりと記されたわけです。しかし、それでも井伊家の幕府への公式報告は「病死」でした。つまり暗殺されるということは武士にとっては恥ですから、記録がないほうがむしろ当たり前だと思います。ただ単に記録がないから、そうした事実は存在しなかったというのは、あまりに素朴で幼稚な判断だと言わざるを得ません。

もう一つ、義満が亡くなる直近の史料に、義満が「咳気《がいき》」だったという記述があることも、病死説の根拠とされています。咳気というのは風邪なのか肺病なのか、要するに咳を伴う病気という意味なので、その咳気による病死であって、暗殺などという剣呑《けんのん》な話ではないと判断されているわけです。

しかし、咳気だったという記録は確かにあったかもしれませんが、それが死に至る病であったかどうかは、まったく確証がありません。それが死因であるとはどこにも書かれていないのです。にもかかわらず、この咳気という言葉のみをとらえて、鬼の首を取ったように義満は「病死」だったと断言していいものだろうか、私はそこにも疑問を感じます。

●目的達成は直前まで来ていた！

金閣寺については、誰もがご存じでしょう。正式には鹿苑寺《ろくおんじ》といいますけれども、あれは現時点では義満の菩提寺《ぼだいじ》であって、義満の遺言によって禅寺としたという説もありますが、私は疑わしいと思っています。なぜなら、金閣寺はもともと単なる寺ではなかったからです。

金閣寺は、義満の生前から「北山殿《きたやまどの》」「北山第《てい》」と呼ばれていました。この「第」というのは聚楽第《じゅらくてい》の「第」と同じで、金閣寺が御所に匹敵する規模と格式を持っていたことを示しています。実際、金閣寺周辺にはさまざまな政庁の建物が立ち並んでいて、その中心の建物が今、我々が「金閣」と呼んでいる建物だったのです。

義満は亡くなる十四年も前に征夷大将軍職を長男の義持に譲っていましたが、政治の実権を手放したわけではなく、この北山第ですべての政務を執り行っていました。つまり、義満が金閣を中心とするこのあたり一帯を、自分の政権の所在地にしようとしていたことは明らかなのです。

義満は死後、「鹿苑院《ろくおん》太上天皇」、あるいは太上法皇の名が贈られています。これは歴史上の事実です。しかし、彼は皇族でもなんでもないわけで、いわんや当然上皇ではありません。上皇でもないはずなのに、なぜそうした位を贈られたのかが疑問です。

暗殺説を否定したり、あるいは皇位簒奪計画そのものについて否定的な見解をもつ学者さんたちは、実際に義満は生前から上皇と同じ待遇だったではないかと主張しています。太上天皇の称号が贈られたのも、上皇待遇だった人に対する慰霊の表れだったというわけです。

確かに、当時の後小松天皇が北山第に行幸したという事実があります。つまり天皇のほうが義満のところに挨拶に行ったということです。さらに、その時に義満が座った畳というのは、これは今でも金閣寺にあると思うのですが、繧繝縁《うんげんべり》と言われる縁にさまざまな色・柄を縦縞のようにあしらった特別な畳だったといいます。この繧繝縁の畳は、天皇、三宮《さんぐう》（皇后・皇太后・太皇太后）、あるいは上皇しか使えない畳なのです。それに座って天皇を迎えたのですから、すでに義満は天皇もしくは天皇に准じる扱いだったと見ることはできます。

それからもう一つ、義満は、後小松天皇の生母が亡くなったとき、天皇が一代で二度も喪に服するのは不吉だとして、自分の妻である日野康子《やすこ》を天皇の准母《じゅんぼ》（母に准じる扱い）としました。天皇の准母の夫だから、自分は当然上皇だということになるわけです。その結果、息子の義嗣は親王待遇で元服しているのです。

しかし、こうしたことはすべて朝廷が望んだことではなく、義満の一方的な要求によって実現されたことであることに注意しなければなりません。朝廷あるいは天皇家にとっては、義満を天皇に准じる扱いとすることによるメリットはあまり考えられません。義満は、自らの明確な目標――皇位を足利家が奪うこと――に向けて、着々と準備を進め、外堀を埋めるようにして目標達成を図ったのだと思うのです。

●金閣寺に隠された義満の野望

これは私独自の説なのですが、北山第の中心の建物であり現在金閣寺と呼ばれている建物は、一層が普通の寝殿造りで、二層が武家造り、三層が唐様《からよう》になっていて、二層目と三層目だけに金箔が貼られています。しかもその建物の頂きには鳳凰《ほうおう》の飾りがあります。鳳凰の飾りというのは、実はそれほど多くはなく、神社の神輿《みこし》にはよくありますが、お寺に鳳凰の飾りが施されるのは非常に珍しく、よく知られている建物では平等院鳳凰堂や銀閣寺ぐらいでしょう。

なぜそうかというと、鳳凰が屋根に止まっているということは、実はその下に神あるいは聖天子《せいてんし》がいるということを意味しているのです。しかも、金箔で荘厳《しょうごん》されているわけです。

鹿苑寺（金閣寺）

そうすると、北山第というのはあくまで義満の建てた政庁の中心的な建物なのですから、鳳凰の下にいる聖なる天子というのは天皇ではなくて、その天皇の父待遇である義満に他ならないということを示しているのです。

さらにもう一つ、義満は当時の国際的権威である日本国王になっているということも見落とせません。これは中国の明《みん》から認められた称号で、義満は自らが推進した明との勘合《かんごう》貿易において、この日本国王の称号を堂々と使用しています。

当時の超大国である、今で言えばアメリカに匹敵するような中国の明が、日本地区の政権担当者、日本地区の王として国際的に認めたのが、「日本国王」という

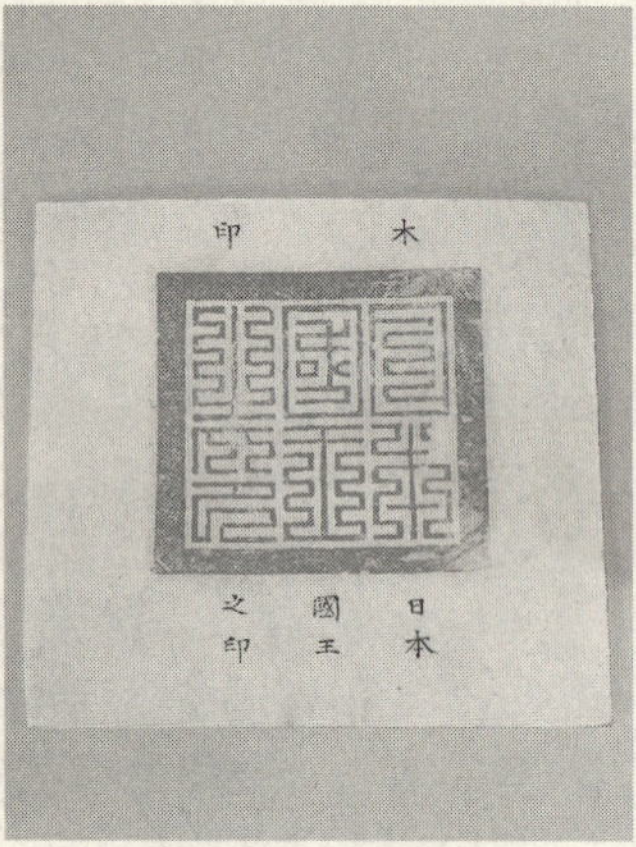

日本国王の印（毛利博物館蔵）

称号なのです。

中国の歴代王朝は、対外関係においては冊封《さくほう》体制と呼ばれる関係を基礎においていました。これは周辺異民族の首長を、中国の皇帝が「王」に任ずる（「王」として認める）という体制なのです。義満は、この冊封体制の傘下に入ることによって、日本国王として明に認められたということなのです。

もちろんそれは、中国皇帝の家来や臣下として認定されるということなのですが、当時の最大の国家が「日本の首長はお前であるぞよ」と天皇の頭越しに認めているわけですから、ある意味、天皇を超越した存在になったと見ることも可能なのです。

天皇が日本国の「長」であるということは、日本国内の合意でしかないわけです。ところが、義満は明に臣下の礼は取ったけれども、その代償として日本国王として国際的に認められたということになるのです。

●不審な死は疑ってかかるべし

以上のもろもろを勘案すれば、義満には、明らかに自分の権力の最終目標として天皇家を超えようという意識があったことは間違いないでしょう。その視野には、自分の息子を天皇にするというかたちで天皇家を乗っ取るという目的も確実にあったと考えていいと思います。

繰り返しになりますが、ここまでは認める学者さんも少なからずいるのですが、問題はそのあとで、義満が急死したことについては、学者さんたちはどうしても病死と捉えたがるのです。これは先ほども述べましたように、具体的にそれを証拠づける史料はありません。しかし、状況から考えてこういう時期に突然死したということに疑いを感じるのは、むしろ当然だと私は考えます。それは、不審な死を目にした刑事や新聞記者が、「明らかに怪しい」「何か裏がありそうだ」という思いを抱くのと同じなのです。

もちろん、なんの物証もなしに殺人事件だと「断定」してしまうのは危険です。冤罪《えんざい》を生みだすことにもつながります。しかし、人間の常識として疑いを感じた以上、事実を明らかにしようと探究することになんの問題があるというのでしょうか。そういった疑いを誰かが抱いたからこそ、明らかになった真実は数え切れないほどあるはずです。

しかし、「史料にはないから」という一言で、そういう疑問を抱くこと自体にストップをかけてしまったら、そうした事実はついに明らかになることはなく、歴史の闇に葬られてしまうのです。人間の常識に照らして、「これは実は殺人ではないのか?」と感じたならば、歴史学の手順や、狭い学問の世界だけにしか通用しない決まりごとを無視してでも、その疑いを晴らすために事実を追究するべきなのです。

義満の話に戻ります。

義満の突然の死については、先ほども述べましたように、明らかに病死であるという確証はありません。したがって、皇統の危機が義満の意志によってもたらされていたという状況から考えて、義満が上皇になることを阻止しようとした皇室勢力に殺されたのではないかと、私は強く疑っています。そして、それはたぶん毒殺であろうと思います。

先ほど、太上天皇の称号は慰霊のために贈られたという、学者さんの見解を紹介しました。しかし、もしそれが慰霊であるならば、むしろ義満が皇位簒奪を目指していたということの重要な証拠となると私は考えます。

義満は上皇になろうとして、中途において挫折しました。つまり無念の死を遂げたわけです。無念の死を遂げた人間は、慰霊をしないと祟り、生きている人間や社会に災いをもたらすというのが、日本の歴史を通じての常識でした。

一番わかりやすい例は、菅原道真《すがわらのみちざね》です。菅原道真は無実の罪で右大臣だったのを大宰権帥《だざいのごんのそつ》という名目だけの職に落とされて、そこで憤死したわけです。その無念の死に対して、朝廷勢力はまず彼の罪を取り消し、生前より高い位である太政《だいじょう》大臣の位を贈り、なおかつ神（天神）として祀《まつ》るということを行っています。なぜならば、当時は恨みをのんで死んだ魂は、怨霊となって祟るという「怨霊信仰」があったからです。

そういう流れで考えるならば、義満に鹿苑院太上天皇（上皇）という称号を与えたということは、朝廷側は義満が祟りをなすのではないかと恐れ、それを慰霊しようという意識が働いていると見ることができます。つまり、朝廷側は明らかに後ろめたさを持っているということなのです。

だから私は、義満は実は暗殺されたのであり、暗殺であったがゆえに、その無念の霊を慰めて怨霊による被害を防ぐために、朝廷は彼が生前なりたがっていた上皇の位を贈ったのではないかと推理しているのです。

●なぜ義満は遺言を残さなかったのか?

この足利義満問題で一番何が問題かというと、要するに状況から考えて、急死するのはおかしいというのが人間の世界の常識でしょう。ところが、「史料がない」の一点ばりでそれを認めないという頑《かたく》なな態度はいかがなものでしょうか。あるいは咳気という言葉にこだわって、あくまでも病死に固執して、暗殺などというのは「言いすぎ」だと決めてかかってしまうほうが問題なわけです。

もちろん、偶然ということはあるかもしれません。皇位簒奪《さんだつ》の実現が目前まできたときに、たまたま急死したのかもしれないわけです。何か大きなプロジェクトをやろうとしていた、まさにそのとき、人間が不慮の事故に遭ってしまうということも、ないとは言えません。しかし、病気で急死するというのはそれほどあることではないでしょう。

このまま放置したら天皇家が危ないという時期に、義満は突然亡くなり、しかも遺言も残していないのです。皇位を簒奪するという、それこそ日本の歴史上ほとんど初めての大きな試みに取り組もうとした人物が、あとのことを何も言い残さずに

足利義満（鹿苑寺蔵）

死んでしまったわけです。幕府を今後どのように運営するのか、日本という国家の舵取りをどのように執り行うのかについて、一言も残しませんでした。これが不自然だとどうして思わないのでしょうか。

人間社会の当たり前の常識で考えれば、不自然だと感じるはずです。そして、不審な死とは、すなわち暗殺されたと考えるのが、私に言わせれば妥当なのです。

そこで、この章のコンセプトに立ち戻っていただきたい。

「あなたは、ある資産家が病気で死ぬことが分かったとき、その人が何も言い残さずに死んでいくことがあり得ると思いますか？」

当然、そこに事件の臭いを嗅ぎ取って、事実関係の調査をするべきでしょう。こう言うと、推理小説の読みすぎだと批判する人もいるかもしれませんが、リアリティに富む優れた推理小説は、人間の常識や心理についての深い理解と洞察力がなければ絶対に書けないということをご存じないのでしょう。

義満の死について、百歩譲って暗殺だと断言はできないにせよ、不審な死であることは間違いないのですから、こういう時は「突然の死であり、暗殺の可能性も考えられる」と書くべきではないでしょうか。

史料がないことをもって、「いや、病死だ」と強弁するのは、歴史の叙述の仕方、考え方として問題だとは本当に思わないのでしょうか。直接証拠がなければ、状況的には可能性が薄いとしか思えない通説でも鵜呑みにしてしまう、殺されたという証拠がないから、病死に「違いない」と頭から決めてかかる、それはある意味で非常に頑なな考え方と言わざるを得ません。

義満については、一〇〇%暗殺だとする証拠はありませんが、同時に、明らかに病死だとする確実な証拠もありません。だからこそ、人間の当たり前の常識に照らして「暗殺」と疑ってみる、その可能性を念頭において、史実を再検討するという姿勢が最も求められるものだと私は強く主張したいのです。

第七章

山本勘助はなぜ実在を否定されたのか

▼近代実証史学の最大の犠牲者

「あなたは、息子が書いた父親の伝記に悪口が書いてあると思いますか?」

●歴史学界から抹殺された男

まだ記憶に新しいところで、平成十九年(二〇〇七)の「NHK大河ドラマ」の主人公にもなった山本勘助《かんすけ》について触れてみたいと思います。

山本勘助というのは、言うまでもなく武田信玄の軍師として知られる人物ですが、実は私は、この勘助こそ近代実証史学の最大の犠牲者だと思っています。どういうことかと言いますと、山本勘助というのは、小説や映画などを通してきわめて知名度は高いにもかかわらず、実は存在をずっと否定されてきました。実在しない架空の人間だと、少なくとも歴史学界ではみなされてきたのです。

山本勘助は、あくまでも小説や映画・ドラマの世界の住人であって、歴史学者がまともに取り上げる対象ではないと、いわば見捨てられていた存在でした。

現在は事情が変わっています。『市河文書《いちかわもんじょ》』という山本勘助の実在を証明した文書が昭和四十四年（一九六九）に北海道釧路市で発見されて、山本勘助はほぼ実在したということが歴史学者の間でも共通認識になっています。

ですから、「ＮＨＫ大河ドラマ」の主人公にも取り上げられたわけです。

山本勘助（山梨県立博物館蔵）

『市河文書』とは、正式には「市河藤若《ふじわか》宛武田晴信書状」と呼ばれるもので、武田晴信、つまり信玄が市河藤若という家来の忠節を褒め称えたうえ、周囲の軍事情勢について伝える内容の手紙です。この時代、書状を使者に持たせて相手に送るときに、その使者に差出人の口上を述べさせるという風習があったのですが、この書状もそうだったようで、文章の末尾に「なお、山本菅助《かんすけ》口上《こうじょう》あるべく候」と書いてあります。この山本菅助こそ、山本勘助のことだろうということなのです。もちろん、「菅」と「勘」の違いはありますが、前近代では名前の漢字を取り違えたり、混用したりするのは珍しいことではありません。学界でもこの発見以来、いくつかの議論はありましたが、おおむね山本勘助は実在の人物であろう、ということにまとまってきたようです。

ところが一昔前まで、学界の定説では山本勘助は実在の人物ではなく、伝説上の人物だということになっていました。その「非実在説」の最大の根拠が、勘助は『甲陽軍鑑《こうようぐんかん》』という史料にしか載っていないではないか、ということなのです。『甲陽軍鑑』とは江戸時代初期の史料ですから、山本勘助がいた戦国時代とは時代のずれがあるではないかということです。つまり戦国時代が治まってからまとめられた『甲陽軍鑑』にしか載っていなくて、同時代の史料――ちょうど武田信玄が生きていた頃の文書類、つまり同時代史料には一切登場しないから、やっぱり伝説上の存在であると言われてきたわけです。実証主義の犠牲者と言ったのは、こういった意味からなのです。

●非実在説のおかしな根拠

実は昔、歴史学界の大御所で中世政治史の専門家でもあった田中義成《たなかよしなり》（一八六〇〜一九一九）はこう言っていました。

江戸時代の大名で平戸藩四代藩主の松浦鎮信《まつらしげのぶ》という人が書いた『武功雑記《ぶこうざつき》』という随筆があり、そこには山本勘助という人物は実は武田信玄の四名臣の一人である山県昌景《やまがたまさかげ》の使い走りのような男であったと書いてあり、「ある時、信玄が山県昌景のそばでちょこまか動いている男を見かけ、あいつは誰だと聞いたところ、あれは山本勘助という男で、ちょっと弁舌の才があるので今使っているのだ」というようなことが載っている。だから、山本勘助は大した人物ではなく、一兵卒に過ぎないのだと、田中義成は言っているわけです。

さらに、『武功雑記』には、山本勘助はそういう山県昌景の使い走りにしか過ぎないような男であったのにもかかわらず、勘助の息子に臨済宗関山派の禅僧になったものがいて、この禅僧になった男が、ちょっと学問があることをいいことに勘助の地元である甲州、信州で「反故《ほご》」、つまりクズのような文章を取り集めて、そして山本勘助がまるで一代の軍師のようにとりつくろって書いたものが、『甲陽軍鑑』だ、と書かれています。

田中義成は、この『武功雑記』の記述から、『甲陽軍鑑』に出てくる勘助像というのは、息子の禅僧が脚色と誇張を加えて作り出したフィクションに過ぎないと結論づけたわけです。

のちに、中世史研究者で織田信長の研究などで知られる奥野高廣《おくのたかひろ》（一九〇四〜二〇〇〇）は、田中義成の研究を継承して『甲陽軍鑑』の史料的価値を否定し、『甲陽軍鑑』にしか出てこない山本勘助は架空の人物だと断定してしまったのです。

まずこれがおかしいのは、この『武功雑記』の記述が、いつの間にか山本勘助非実在説の根拠に使われているということです。『武功雑記』では、確かに山本勘助はたいした人間ではないと言っていますが、〝いない〟とは言っていないわけです。むしろ、山本勘助という人間がいたと証明する史料と考えてもいいぐらいなのに、それを否定する材料に使っている、これがまずおかしい。山本勘助に息子がいたという記述も、非実在の根拠にはならないはずなのですが、そういうものを引用して、〝山本勘助はいなかった〟と言っているわけで、なんともおかしな話です。

もう一つ、普段から歴史学者は、対象となる出来事から時代が下れば下るほど、史料は信用できないと言っているのに、田中・奥野両氏は『甲陽軍鑑』を否定しておきながら、その成立について語る『武功雑記』の内容は信頼しているわけです。大名が書いた本だとなぜ信用するのか。それもおかしな話で、権威的偏見だと思います。

●『甲陽軍鑑』はなぜ使えないと言うのか？

『甲陽軍鑑』について、近代歴史学はおしなべて冷淡でした。先ほどの田中義成は明治二十四年（一八九一）に「甲陽軍鑑考」という論文を発表していて、それ以来、『甲陽軍鑑』は大変評判の悪い史料とされてしまったのです。

田中義成は、『甲陽軍鑑』の記述が、信玄のころの信頼のおける一次史料とくらべてみると間違いが多いことを理由に、史料としては使えないと断定しています。

『甲陽軍鑑』の作者についても従来からいくつもの説があったのですが、田中義成は小幡勘兵衛景憲《おばたかんべえかげのり》という甲州武士の遺児だった男が、信玄の家臣高坂弾正《こうさかだんじょう》が書いたかのようなフリをして作成したものだと分析しています。

小幡景憲という男は、大坂の陣が終わって平和な時代になると、甲斐《かい》武田家に由来すると称する甲州流軍学というものをつくりあげて、多くの門弟に教えて評判を取ります。その権威づけのために、信玄の行動や思想を記した『甲陽軍鑑』を、いわば甲州流軍学のバイブルに仕立ててしまったというわけです。

田中義成は、このように断定したうえで、一方では『甲陽軍鑑』はそもそも『武功雑記』にあるように、山本勘助の息子なるものがいて、それが親のことを美化してとりつくろって、格好良く書いたものだとも述べているわけです。この主張自体が矛盾しているのはすぐ分かるでしょう。『武功雑記』の記述から『甲陽軍鑑』は信用できないと主張するのに使うならまだましですが、山本勘助非実在説の根拠にするというのは、まったくおかしい。『武功雑記』には、「山本勘助はいなかった」とは書いていません。

逆に、勘助には息子がいたとしているわけですから、これは山本勘助実在説の根拠になり得るべきことなのに、そういうのは伝聞として否定しておいて、一方、『甲陽軍鑑』は信用できないというところだけは取り上げているわけです。このやり方は非常に恣意《しい》的と言わざるを得ません。

そもそも、田中義成は『武功雑記』の記述が何を根拠にしているかをまったく検討していません。それなのに、自分の都合で使ったり使わなかったりするわけですから問題です。にもかかわらず、この論考の影響は大きく、以後、歴史学者がまともに『甲陽軍鑑』について検討するということはほとんどなくなってしまったのです。

●勘助は美化されてはいない

このように、山本勘助の非実在説には、その発端からして奇妙なところがあるのですが、さらに〝人間の常識〟に照らして明らかにおかしい部分を指摘しましょう。もし『甲陽軍鑑』が、山本勘助の息子が父親を美化するために書いた本だとしたら、とうていあり得ないおかしなところがあるのです。実際に『甲陽軍鑑』を読むと分かるように、山本勘助という人は生涯の最後に大失敗をおかし、その失敗のせいで、自らも命を落としてしまいます。

第四次川中島合戦のときのことです。勘助は妻女山《さいじょざん》に布陣する上杉勢を、別働隊を派遣して急襲し、敵が山を降りてきたところを川中島で待ち伏せして叩くという「キツツキの戦法」を信玄に訴え、採用されました。

しかし、この策は謙信に見破られ、密かに山を降りた上杉軍のため、逆に武田軍はいっとき、危機的状況に陥ってしまいました。最終的には別働隊が川中島に間に合って、武田軍が優勢のうちに戦いは終わりますが、勘助は死に、信玄の弟で影武者の役を果たしていたともされる信繁《のぶしげ》も命を落とすなど、武田方も大きな痛手を蒙《こうむ》りました。

となると、勘助は軍師である自分の策が見事に失敗したわけですから、軍師失格と言わざるを得ません。しかし『甲陽軍鑑』には、作戦の失敗が事細かに書かれているのです。

息子がもし『甲陽軍鑑』を書いたのであれば、父親の失敗をそのまま書くでしょうか。父親が失敗を犯し、自分の作戦のせいで討ち死にをするというのは、息子であれば、当然とりつくろうものでしょう。田中義成の言うように、勘助の息子が父親の姿を大軍師として美化したというならば、その最期をとりつくろわなくてどうする、ということです。

また、これが「甲州流」という軍学のテキストにするためにでっち上げられたものなら、なぜ勘助を「失敗した者」として描くのでしょうか。矛盾しているではありませんか？

もう一つ、これも『甲陽軍鑑』を読むと分かることなのですが、『甲陽軍鑑』には山本勘助が川中島の合戦で討ち死にしたとは書いてあるけれども、討ち死にの様子はまったく書いていません。これも息子が書いたならば絶対にあり得ません。『武功雑記』の言うように、息子が父の事跡をとりつくろって書いたものだとしたら、たとえば、「山本勘助は失敗した」「敵に作戦を見破られた」というふうに書い

川中島の戦いにおける武田軍・上杉軍の進軍図

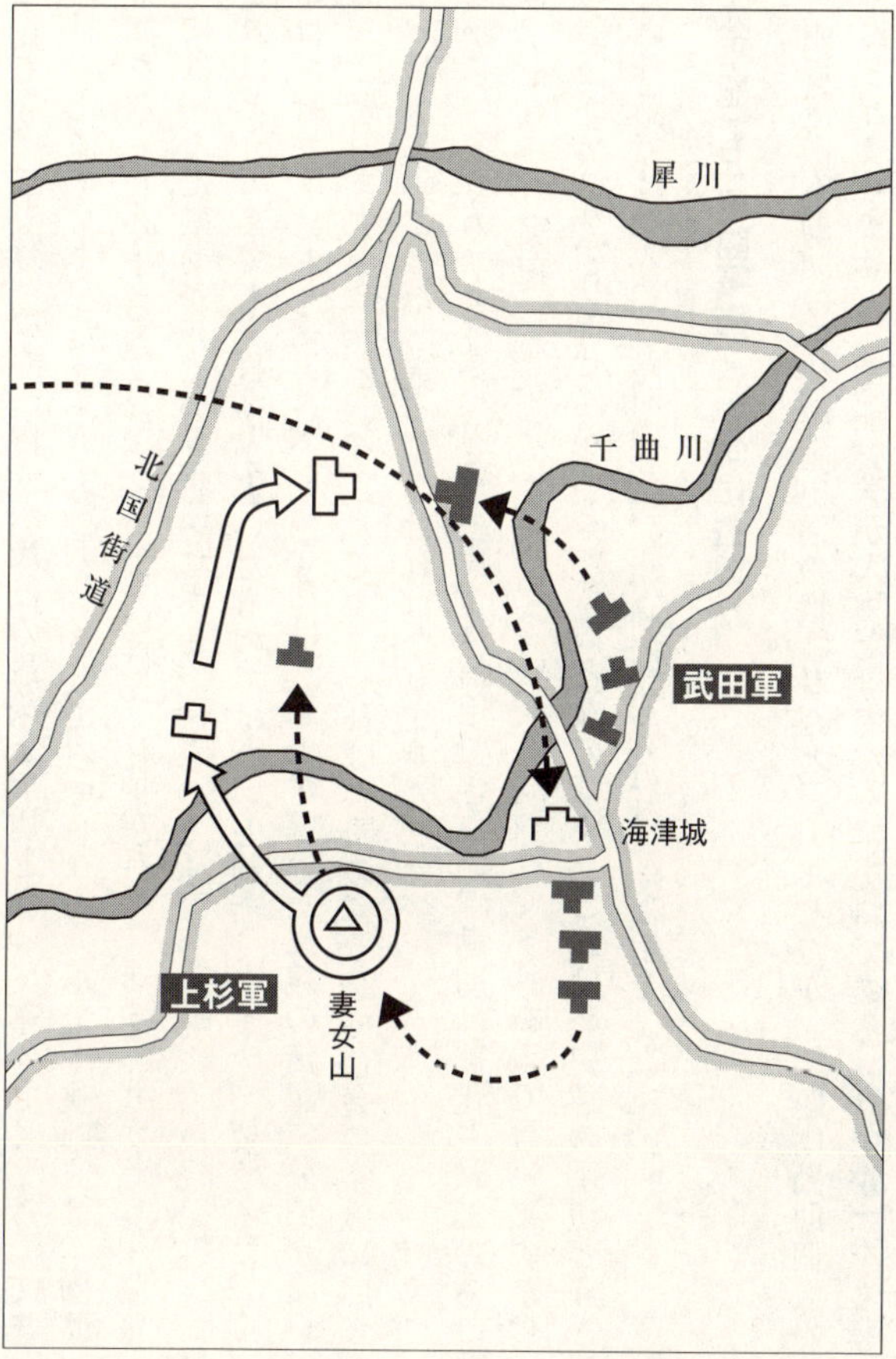

たとしても、「主君のために自分が最後の最後まで盾となって華々しく、そして忠義の討ち死にをしました」とでも書くべきところでしょう。小説や映画では、勘助の最期を華々しくするために、たいていはそう描かれています。しかし『甲陽軍鑑』には、ただ勘助が死んだと書いてあるだけなのです。

これはどう考えても、息子が書いたものではないと判断できます。要するに、今回のコンセプトにあるように、「あなたは、息子が書いた父親の伝記に悪口が書いてあると思いますか?」ということです。それは人間の、そして社会の常識に照らして、おかしいことだと気づかなければなりません。

しかし、多くの学者は、『甲陽軍鑑』は信用できない、勘助は美化されている。いや、そもそも実在しなかったと決めつけてきたわけです。あえて言いますが、「そんなことも分かりませんか」ということなのです。これは歴史学の手法どうこうという話ではなく、〝人間の常識〟で判断すれば分かることなのです。

●『太平記』も『甲陽軍鑑』も史学に益あり

冒頭で、山本勘助は近代実証史学の犠牲者だと言いましたが、問題は勘助個人の評価にとどまりません。実証史学が人物だけでなく、史料である「歴史書」をも葬ってしまい、その間違いに長く気づかなかったということも指摘できます。

先ほどの田中義成が「甲陽軍鑑考」を発表した明治二十四年（一八九一）は、久《く》米邦武《めくにたけ》（一八三九～一九三一）という日本における近代歴史学の祖と言われるような学者が「太平記は史学に益なし」という有名な論文を書いた年でもあります。『太平記』に書かれているのはフィクションであるから、歴史学で使用してはならない、という主張です。確かに、『太平記』が生み出された政治性や、そこに描かれた歴史が一貫して明らかに南朝よりであることを考えに入れれば、その内容を史実そのままだと受け取ることは危険でしょう。

でも、まったく使うなというのは乱暴な話です。研究が進めば、それまで分からなかったさまざまな事実が明らかになったり、役に立たないと思われた史料から史実とのつながりが見えてくるという可能性はあるのです。

実際のところ、近年の南北朝・室町時代研究では、国文学の分野での『太平記』研究の成果に影響を受けて、『太平記』を見直す動きが盛んになってきています。『太平記』を無視して、この時期の研究をするのは時代遅れと言われかねない状況なのです。

これと同じことが、実は『甲陽軍鑑』にも言えます。確かに『甲陽軍鑑』の記述には、高坂弾正のような「当事者」が書いたとは考えられない間違いや矛盾があります。ところが、近年の、これも国文学の研究では『甲陽軍鑑』には戦国時代に特有の言葉が使われていることや、江戸時代以前の記述を参考にして書いたと思われる内容が含まれていることが明らかになってきて、歴史学の世界でも『甲陽軍鑑』を無視することができなくなってきているのが現状です。

実際、名の知れた歴史学者が、真正面から『甲陽軍鑑』を取り上げ、その記述を元に論文を書くということも、最近では珍しくなくなってきているのです。

●権威主義が歴史を見えなくした

久米邦武や田中義成が『太平記』『甲陽軍鑑』の問題点を指摘したのは、一面では正しいのです。しかし、全否定してしまっては元も子もありません。全否定をしていなければ、南北朝時代や戦国時代の研究は、もっと進んでいた可能性は少なくありません。少なくとも、『甲陽軍鑑』にしか出てこないから山本勘助は実在しない、と切り捨ててしまったために、山本勘助についての研究が著しく遅れてしまったことは動かしがたい事実です。

歴史上の人物を切り捨て、史料を切り捨てる、それはある意味、非常に差別的であり、権威主義的な態度と言えるのではないでしょうか。彼ら実証史学と称する歴史学をリードしてきた学者は、いわゆるアカデミズムというエリート集団の、さらにえりすぐりのエリートであり、権威です。

彼らは、自分たちの「たまたまその段階での知識・見識」に合致しないという理由だけで史料を切り捨て、歴史を切り捨ててきたわけです。史料に権威主義を持ち込むことで、自分たちの権威を確認して満足していた、と言っては言いすぎでしょうか。

自分は一流の歴史学者であるから、そのようないい加減な史料は使用しない——、そう言って満足してしまう、それは完全な思考停止です。自らの権威を疑うことを知らない学者は、一方では史料批判が大事だとお題目のように繰り返しながら、いったん権威づけられた評価、「太平記は史学に益なし」という評価が定着してしまうと、当たり前の社会常識に照らして、その評価を疑うこともしなくなります。権威主義と思考停止が、彼らを人間社会の当たり前の常識からさえ、遠ざけてしまったのです。

山本勘助という人物は、そういう意味で近代・現代の歴史学という狭い学問によって抹殺された犠牲者だと言えるでしょう。

第八章

上杉謙信は武田信玄と一騎打ちをしたのか

▼歴史を見えなくさせる権威主義

「あなたは、『スパイダーマン』がどんな人物か知っていますか?」

●謙信の意味のない行為と無償の情熱

今回も、前回と同じく『甲陽軍鑑《こうようぐんかん》』に関わる話です。

上杉謙信と武田信玄が戦った「川中島の戦い」という戦国時代でもっとも有名な戦いがあります。実はこの二人、信濃北部の川中島で、都合五回にわたって戦っています。その五回のうち、普通、「川中島の戦い」というのは、もっとも激しい戦いとなった四回目の戦い、すなわち永禄《えいろく》四年(一五六一)九月に行われた戦いのことを指しています。

それ以外の四回は、戦いといっても全面戦争にはならず、小競り合い程度で終わってしまいましたが、この第四回だけは、戦いの規模といい、華々しさといい、戦国合戦を代表するような戦いとなりました。

この戦いのハイライトとされているのは、信玄・謙信の両者による一騎打ちの場面です。単騎敵陣に切り込み、信玄に切りかかる謙信、これを軍配で受け止める信玄。まさに名場面中の名場面で、映画やテレビドラマでは無くてはならないものでしょう。

ところがこの一騎打ちについて歴史学者は、謙信が単騎切り込んだなどということは「認めがたい、絶対にありえない」「そもそも合戦で、一軍の大将が一人で切り込みをかけるなどということはありえない」と言っています。

この一騎打ちは、川中島の戦いを描いたさまざまな軍記物に書かれていますが、もとをたどっていくと、前回で述べたように、歴史学者が基本的に信用できないと言った『甲陽軍鑑』に登場する話なのです。

信用できない史料に出てくる記述であるわけですから、当然、この一騎打ちは事実ではなく、「そもそも大将が一人で切り込むなんてことあるわけがないではないか」と、そうおっしゃるわけです。

そこで今回のコンセプトについて触れたいと思います。

「あなたは、『スパイダーマン』がどんな人物か知っていますか?」

と聞くと、ほとんどの人はアメコミ(アメリカンコミック)の主人公を思い浮かべると思いますが、実は、ここで言っているのは、しばらく前に新聞やテレビのニュースでも有名になった人物で、世界中のビルやタワーなどを素手で登る「冒険家(?)」のことです。

何の道具も使わずに、もちろん命綱もつけずに、シカゴのシアーズ・タワー、クアラルンプールのペトロナスツインタワー、パリのエッフェル塔、ニューヨークのエンパイアステートビルなど、世界中のさまざまな高層建築物を登り続けるという、ある意味驚くべき人物です。アラン・ロベール(Alain Robert)というフランス人男性らしいのですが、彼の渾名《あだな》がスパイダーマンでした。このスパイダーマンの存在をはたして理解できるかどうか、ということを問題にしたいと思います。

彼は、なぜそのような無茶なことをするのか、なぜ命がけの挑戦を続けるのか、「そこにビルがあるからだ」と言ったかどうかは知りませんが、要するにそこには明確な理由などはないのです。もちろん、世の中の役に立つわけでもありません。あえて言えば、自分の冒険のためにやるわけです。つまり、自分の素手で何も道具を使わずに高層ビルをよじ登るのが趣味なのです。もちろんそれは違法行為ですから、一番上に登ったところで警察に逮捕されてしまいます。冒険を成し遂げたところで、賞賛を受けるどころかお叱りを受けてしまうでしょう。

しかも、もし登攀《とうはん》の途中で手がすべったら、間違いなく死にます。誰も助けてはくれませんし、もし死んだなら「バカな奴」と言われるのがせいぜいでしょうし、賞金をもらえるわけでもありません。たぶん彼は、保険にも入れないでしょう。

つまり、彼の行為はまったくの無為、ムダな行為と言っても差し支えありません。にもかかわらず、そんな馬鹿なことをする人間は、現実に存在するのです。そして、そういう人間は、おそらくいつの時代でもいるでしょう。それは人間の逃れがたい業《ごう》のようなものかもしれません。

「スパイダーマンがどんな人物か知っていますか？」と問いかけるのは、要するに人間というのは、必ずしも合理的な行為をするものではなく、無償の情熱というものがあるのだということを「歴史学者さん、あなたたちは忘れているのではないですか？」という意味なのです。

●謙信の無謀さはどこから生まれるのか

上杉謙信の話に戻りましょう。

確かに大将が一人で突っ込むことは無謀な行為です。だから、そんな無謀なことはしない「はずだ」と思い込んでしまいます。では、なぜ我々はそうした行動を無謀と思うのかというと、まず第一に、そんなことをして死んだらどうするのだと我々は考えます。死んだら戦《いくさ》は負けではないかと。これは確かにそうです。

日本の歴史学者が無視しがちなことの一つに「宗教」というものがあります。日本人は無宗教というようなことがしきりに言われますが、前近代の日本人は西欧人が考えるような宗教観とは違う意味で、宗教によって人生観や生き方を大きく規定されていました。たとえば上杉謙信ですが、彼は自分自身を毘沙門天《びしゃもんてん》の生まれ変わり＝化身だと真剣に思っていました。毘沙門天は多聞天《たもんてん》とも言って、持国天《じこくてん》、増《ぞう》長天《ちょうてん》、広目天《こうもくてん》とともに仏法を守る四天王の一人とされる守護神で、戦う神の姿として表現されます。

謙信が、自らを毘沙門天の生まれ変わりと信じていたことは、すでにさまざまな史料で検証されていることで、恐らく歴史学者の方も異論のある人はいないと思います。

では、毘沙門天の化身であるということはどういうことでしょうか。毘沙門天は戦いの神なのだから、当然、負けるわけがありません。戦場に身をさらしていたとしても、「鉄砲の弾や敵の矢は絶対に当たるはずがない」「そうしたものは自分を避けていくはずだ」「人は自分を殺すことはできない」と謙信は心の底から信じていたはずです。自分が死ぬはずがないと思っている人間にとって、ただ一騎で敵陣に突っ込むということは、けっして無謀なことなどではありません。なぜなら自分は死なないのだから。

近代合理主義の視点から見てどんなに無謀な行動であったとしても、死なないのですから、謙信の意識ではまったく無謀ではないのです。どうしてこれが分からないのか、ということが問題なのです。現代でさえ、先述のスパイダーマンみたいな人はいるわけです。人は必ずしも合理的に動くわけではありません。ま

上杉謙信（米沢市上杉博物館蔵）

して、謙信は非常に熱心な宗教信仰家であり、その信仰によれば、我々が無謀だ、自殺行為だと思っていることは、彼にとってはまったくそうではなかったのです。

もう一つ、指摘しておきたい点があります。我々は、大将、つまりトップリーダーであるかどうかにかかわらず、分別のある大人の男は、そういう無謀なことはしないであろうと、常識に照らして考えています。

その理由の第一は、私は妻子の存在だと思っています。つまり自分に万一のことがあったら妻や子供はどうなるかという思いがあります。それがあるからこそ、自ら死を選ぶようなことはしないだろうと感じています。ところが上杉謙信には、その問題となる妻子がいません。仏に仕える身として、妻帯はしなかったのです。それほどに深く仏教に帰依《きえ》していたのが、謙信という人なのです。したがって謙信には実子がいないため、養子を二人、迎えていました。やがてその二人が謙信の死後に後継者争いを繰り広げることになるのですが、ここではおいておきます。

妻子の次に、分別のある大人の男に「ブレーキ」となるのは、地位や身分だと思います。要するに自分が死んでしまったら会社はどうなるのか、自分が築いてきた社会的な地位や名声はどうなってしまうのか、という思いです。謙信の場合だと、越後《えちご》の国はどうなるのか、越後守護、あるいは関東管領《かんれい》としての自分の名誉はどうなるのか、という問題になりますが、実は彼ほど地位や身分に執着しない人間はいませんでした。これは、歴史学者も認めざるを得ない、ちゃんとした史料で裏打ちできることなのです。彼は過去に一度、越後の守護の座を投げ出し、出家して姿をくらましてしまったことがあります。家臣たちの争いに嫌気が差したからだという説もありますが、表向きは仏道修行に励むため、となっています。そのために、一国一城の主《あるじ》がすべてを投げ捨ててしまったわけです。

つまり、戦国時代のあらゆる武将の中で、彼ほど自分の地位や身分に執着しなかった人はいないと言えると思います。普通の男だったら妻子、あるいは地位や身分ということに執着するから、無謀な行為に出る前に歯止めがかかるのですが、彼にはこうした歯止めはかからなかったということは、分かってもらえるでしょう。

そして、人間の行動に最終的に歯止めをかけるもの、つまり人が最後の最後に執着するのは、自己の生命だと思います。この命がなくなったら元も子もないじゃないか。それはそのとおりなのですが、謙信は、先ほど触れたように自分は不死身だと思っているわけですから、命を別に投げ出しているつもりはないわけです。

謙信がそんな無謀なことをするわけがないという常識的判断は、〝今現在の我々の常識〟に照らしているだけで、〝謙信の常識〟に照らしての判断ではないということは、ぜひ注意してください。

●大将としての責任とは何か

平和な時代である現在では忘れられていることですが、大将の責任ということについても考えてみたいと思います。戦国の大将の責任は現在の日常生活で感じるリーダーの責任というものとは、およそ重みが違うものなのです。

どういうことかというと、たとえば、戦中、海軍中将で特別攻撃隊（特攻隊）の生みの親とされている大西瀧治郎《おおにしたきじろう》という人物がいました。彼は特攻、すなわち自分の乗っている零戦なり戦闘機ごと敵に体当たりをして、そして自分も死ぬがそれと引き換えに敵の艦船を葬るという戦法を考え出したとされる人物です。

特攻隊の出撃によって、多くの若い兵士が命を落としました。そして、その「生みの親」である大西が最後の最後にどうしたかというと、彼は終戦の翌日、八月十六日に「特攻隊の英霊《えいれい》に曰す」に始まる遺書を残して切腹しました。遺書には、特攻隊員に対する謝意の言葉が記してあったといいます。また、同じく特攻隊の「菊《きく》水《すい》作戦」を指揮した海軍の宇垣纏《うがきまとめ》中将は、八月十五日に終戦を告げる「玉音放送」を聞いたあと、つまりすでに終戦を迎えたあとに、鹿児島の鹿屋《かのや》基地から特攻機で出撃し、戦死しています。

彼らは、なぜ戦争が終わったにもかかわらず、自ら死ななければならなかったのでしょうか。それは、自分に「責任」があると彼らが感じていたからです。自分が考えた戦術のために多くの若い命を犠牲にしました。だから自分は責任者として、その責任に殉じなければならないと、彼らは痛切に感じたわけです。少なくとも自分だけ逃げるわけにはいかないという、責任感が彼らを動かしていたのです。

川中島の戦いで、上杉謙信は武田方の山本勘助が立てた作戦を見破って、途中まで有利に戦闘をすすめていました。しかし、この戦では上杉謙信という大将のために死のうと思って、一万三千人もの人がついてきたわけですが、謙信が一騎打ちを挑んだとされる段階で、すでに三千人近くの兵士が大激戦のなかで死んでいたと考えられます。つまり自分のために三千人近くの人が死んでしまったわけです。上杉軍がなんのために戦場にいるかといえば、敵の大将、武田信玄の首を取りにきているのです。だったら、自分が信玄の首を取るチャンスに恵まれたら敵陣に突っ込まずしてどうするか。多くの部下を死なせてしまった責任としても、命を賭して突っ込まざるを得ないでしょう。

謙信はそう考えたはずです。ですから、大将たる謙信がそのような「無謀な」ことをするはずがない、一騎打ちは史実ではない、と考えて思考停止してしまうのは、まったく的外れな想像に過ぎないということになるのです。

●川中島の戦いはまれに見る激戦だった

ここまで挙げてきた前提をすべて認めるとしても、一騎打ちは物理的に無理ではないかという議論もあるでしょう。つまり普段合戦の場では、「旗本」あるいは「馬廻《うままわ》り」という言葉があるように、大将というのは周囲を多くの将兵で固められているものです。そうした敵陣を突破することはとうてい不可能ではないかという理由です。確かに通常の陣構えであれば、一騎で突破するのは不可能でしょう。

しかしあの戦は、歴史上まれに見る激戦であったということを忘れてはいけません。それは、たとえば『甲陽軍鑑』の記述に頼らなくても証明できます。どういうことかというと、一方の総大将の弟である武田信繁が死んでいるという事実があるからです。その信繁を討ち取ったのが誰かということは、実は分かっていません。一軍の将の首という意味の「兜首《かぶとくび》」という言葉がありますが、信繁の首は、その兜首の中でも特別の価値があるはずです。彼は副将格なわけですから、その首を取ったということは、信玄の首に次ぐ大手柄のはずです。ですから通常の合戦であったならば、「副将格の武田信繁を誰が討ち取ったかが分からない」などということは絶対にあり得ないはずです。しかし、それが分かっていません。

あの合戦に関して、山本勘助の存在自体を否定する人は、今はもういないと思いますが、山本勘助にまつわる逸話など信頼できないという人でも、武田信繁があの合戦で死んだことは認めざるを得ません。そして、誰が信繁を討ち取ったのかが分からないということも、認めざるを得ない事実です。ということは、それだけの大混戦だったということなのです。上杉側から見れば、大変な大手柄、うまくいけば何百石の加増にもなるような手柄を立てた人なのに、それが誰だか分からないということは、それこそ戦場では誰が誰だか分からないような大激戦だったということなのです。

ところで戦前、旧参謀本部が編集した『大日本戦史』という戦史資料があります。桶狭間の戦いから大坂夏の陣にいたる合戦を詳細に研究・分析してまとめたものです。その資料では川中島の戦いは、信頼に足る史料が少ないと判断したのか取り上げられてはいないのですが、編纂委員の一人である井上一次《かずつぐ》中将が川中島の戦いについて独自の研究をしていて、武田方の死傷率は六二%、上杉方の死傷率はそれを上回る七二%だったということを述べています。

日本の戦史上、死傷率が高く激烈な戦いだったとされているのは、昭和十四年（一九三九）のノモンハン事件と、同じく十七年のガダルカナル島奪回作戦です。それぞれ死傷率は七六％と六六％ということですから、川中島の戦いはそれに匹敵する激戦だったということが、死傷者の数からでも類推することができます。

そんな大激戦だったならば、大将の周りに一瞬でも、人がいなくなってしまうという事態は十分にあり得るわけです。少なくとも混戦の中で本陣が手薄になるということはあったと考えるほうが自然でしょう。

謙信が敵陣に切り込んだとされているとき、武田軍はもともと数の上で優勢だったのにもかかわらず、軍勢を二つに割って、その一方を上杉軍のいる妻女山《さいじょざん》を奇襲するキツツキ部隊としてしまっていました。だから、両軍が川中島で激突した時点では武田軍のほうが少ないわけです。一説では武田軍八千、上杉軍は一万と言われています。ところが一万二千と言われるキツツキ部隊が川中島に駆けつけると一気に形勢が逆転し、武田方が攻勢に出ます。謙信が敵陣に切り込んだとされているのはこの段階ですから、戦場はもうめちゃくちゃになっていたのは間違いないと思うのです。

●常識で史料を読む

『甲陽軍鑑』以降の史料に謙信・信玄の一騎打ち場面が登場することはすでに述べましたが、『甲陽軍鑑』とはディテールが違って、信玄と謙信は川の中に馬で乗り入れ、互いに馬上から打ちかかったというように描いているものもあります。こうした記述は、もちろん伝聞などをもとに後世に書かれたものです。

しかし、彼らと同時代人で、実際に謙信とも親しかった近衛前久《このえさきひさ》という公家の手紙には、謙信が「自身太刀討ちに及ばるる段、比類なき次第、天下の名誉に候。前代未聞」という記述があります。謙信が太刀討ちした相手が信玄だとは書いてありませんが、合戦で刀を抜いて白兵戦をやったということ自体は、信憑《しんぴょう》性が高い同時代史料で証明できるわけです。

さらに、どうも上杉謙信という人は血気にはやる傾向があったようで、関東の忍《おし》城を攻めたときなど、ほかにもみずから太刀をとって戦ったという記録が残っています。

こうしたことからも、謙信・信玄の一騎打ちは、あっても不思議はないことだと私は思うのです。早とちりをしないでもらいたいのは、私は「絶対にあった」と言っているわけではありません。歴史学者が言うように「絶対にありえない」ことなどではなく、実際にあった可能性は決して低くない、と言っているのです。

もう一つ、『甲陽軍鑑』というのは、誰がどう見ても武田側に立って書かれた武田側の書物ですが、当時の合戦の常識で言ったら、敵の大将に味方の大将が打ち込まれたということは「恥」だったはずです。自軍の囲みを突破されたということなのだから、自慢できるようなことではありません。それではなぜ、身内の「恥」を書き残したのか、普通はそんなことはしません。

しかし、それでも書いたということは、これはよほど特筆すべきことだったとしか考えられません。つまり、本当にあったことだから書かざるを得なかったと考えるほうが、私ははるかに自然だと思うのです。攻め込まれた側の書物にすら書いてあるということは、実際にこれはあったのだと考えるほうが素直です。もしかすると、やっぱり謙信は「敵ながらあっぱれ」だという感覚が武田家のなかにもあったからこそ、自分たちにとっては名誉なことではなくても、一騎打ちの事実を書いたのではないかとも想像できます。

ちなみに、上杉家は武田家と違って大名として明治維新まで生き残りました。大名家としての上杉家は、米沢に移ってから『上杉家譜』という歴史書を編纂《へんさん》していますが、そこには川中島の合戦で武田信玄に打ち込んだのは荒川伊豆守だと書いてあります。信玄に切りかかったのは謙信ではなかったとしているのです。これはつまり、平和な時代になると、「大将ともあろうものが、そんな無謀なことをしでかしてはいけない」という常識のほうが強くなってしまい、ちょうど現代の歴史学者と同じ感覚で過去を見直したために、内容を改訂してしまったのだと思います。

戦国の時代であれば誇るべき事柄であっても、平和な時代になると「お家の恥」という感覚で受け取られた可能性は大いにあります。しかし、素直に当時の人間の常識として考えるならば、やはりそういうことがあったとしても不思議ではありません。むしろ状況証拠はすべて、上杉謙信が単騎で切り込みしたということを裏付けていると、私は思います。単騎切り込み、一騎打ちはあったとするのを通説として考えるべきではないでしょうか。

武田信玄（山梨県立博物館蔵）

●ゲームの常識、人間の常識

盤上のゲームに過ぎない将棋では、王将がどんどん前に出て相手に取られてしまったら、それは負けに決まっています。しかし、現実の歴史はそういう常識で考えてはいけないのです。謙信がたった一人で敵陣に切り込み、信玄と一騎打ちをしたということを、「ありえない」こととして切り捨ててしまう歴史学者の思考は、おそらくこうしたゲームの常識にとらわれているのではないでしょうか。

しかし人間の内面は、もっと複雑なものです。決してゲームのように勝利に到達するためのロジックや手順、定石《じょうせき》にしたがって動くものではありません。何の役にも立たず、何の報酬も得られないのにビルに登る「スパイダーマン」が存在するように、人間は理屈では割り切れない行動を、時に取るものだという常識を忘れてはいけません。

そうした人間の常識に立ち返って考えてみれば、謙信・信玄の一騎打ちも大いにありえたことだということが、見えてくるはずなのです。

第九章

僧侶はなぜ武器を捨てたのか

▼「政教分離」の知られざる信長の功績

「あなたは、なぜお坊さんは丸腰だと信じているのですか？」

●宗教者が戦うのは世界の常識

武蔵坊弁慶《むさしぼうべんけい》という人物がいます。これは実在の人物で、源義経の配下だった人です。弁慶の七つ道具でも知られているとおり、武装した姿がすぐ思い浮かびます。武蔵坊というくらいですから、実は僧侶なわけですが、武芸の達人でもありました。こういう存在を「僧兵」と呼びます。武人の恰好《かっこう》をした僧侶というより僧侶の恰好をした兵士と言うべきかもしれません。

武蔵坊弁慶は、あくまでも伝説上の人物だとして弁慶の実在を否定する人もいます。しかし、たとえ弁慶が架空の人物だとしても、僧兵集団というものが過去にいたということ、少なくとも平安時代の末期において確固たる存在であったということは誰もが否定できない事実です。

つまり、平安時代後期以降の、いわゆる中世と呼ばれる時代においては、お坊さんというのは丸腰ではなかったわけです。もちろん、高僧と呼ばれるような位の高い僧侶はさすがに丸腰だったと思いますが、お坊さんが刀を差していることは、普通のことだったのです。

武蔵坊弁慶は比叡山延暦寺《ひえいざんえんりゃくじ》で修行した僧兵とされていますが、僧兵がいたのはもちろん比叡山だけではありません。近江《おうみ》の国では三井寺《みいでら》（園城寺《おんじょうじ》）にも、あるいは紀州の根来寺《ねごろじ》、奈良の興福寺、東大寺のようなところにもいました。いわゆる奈良から平安にかけて成立した有力な古代寺院には、僧兵がいるのは常識だったわけです。

ところが、現代の我々の常識のなかでは、僧侶と武器というのは結びつきません。すでに僧侶が武装するということはなくなって久しい今日の常識に生きている我々は、無意識のうちに、お坊さんというのは武器を持つものではない、持ってはいけないものだというふうに考えてしまっているのです。

我々を取り巻く常識が、いつのまにか変わってしまっているということを、よく考えなくてはいけません。宗教勢力、あるいは宗教家というのは非武装であるべきだという強い信念を我々は持っています。ですから、宗教団体でありながら暴力に訴えるようなことをする集団に対して、我々は大変違和感を覚えるわけです。

その伝で言えば、日本人は、過激なイスラム教徒による自爆テロのような行動にも、強い違和感と嫌悪感を感じるはずです。

たとえば新婚間もない、子供もまだいないイスラム原理主義者の若夫婦が、神の使命であるということで嬉々として爆弾を体に巻き、そして彼らが悪と考える人たちの中に突っ込んでいって相手を倒し、もちろん自分も死ぬ（実際にあった事件です）というのは、彼らにはそうすることが正しい行いだという観念があるからです。これに対して日本人は非常に違和感を覚えていると思います。

問題はその違和感ですが、我々は、昔からそういう違和感を持つ民族だったのでしょうか。たとえば自爆テロのように、強い信仰心に基づいて武力を行使したり、人を殺《あや》めるようなことは一切行わなかったのかというと、むしろ話は逆で、昔は宗教集団が武装するというのは、武蔵坊弁慶の例を見ても分かるように当たり前だったのです。それが常識だったのです。

なぜ常識だったのでしょうか。一つは、宗教的というよりも環境的問題です。日本人論を語るとき、日本人は水と安全はタダだと思っていると以前はよく言われました。今ではみなさんよく分かっていると思いますが、安全というものにはコストがかかるものなのです。国家の安全保障という問題で言えば、日本は日米安全保障条約というものにずっと守ってもらっています。もちろん、米軍に基地を提供するなどのコストは払っているわけですが、本来、国家の安全保障にかかるコストとは何かというと、武力、あるいは武器をどのように調達するかということなのです。

僧兵（イラスト：石田とをる）

これが世界の現実です。

平和を侵す者、あるいは我々の平穏な生活を侵す者というのは必ず暴力に訴えてくる者なのですが、その暴力を排除するためには武器が必要であり、その武器を扱う人間が必要です。ですから僧侶は自らを守るために武装したし、武器をとって戦いました。それが〝常識〟だったのです。

ところが、ある時期からの日本は、世界でも類がないほどの武装排除社会になり、武器で物事を解決するということがきわめて少ない社会になりました。もちろん、日本を一歩出ればそうではありません。むしろ暴力に訴えて物事を解決しようという人間たちがうじゃうじゃいるのが常識です。だから、自分の所属する団体の生命・財産を守るためには、武器を持たなくてはいけないというのが当然の理だったわけです。

ところが、武装排除社会に慣れてしまった日本人は、いつしかお坊さんが武器を持つという常識すら忘れてしまい、狂信的イスラム教徒の自爆テロをまったく理解できなくなってしまったのです。

●神仏習合が日本の伝統

日本の宗教にまつわる常識として、もう一つ忘れられていることがあります。明治時代、神道を国教化するために「神仏分離令」が発令されました。この「神仏分離令」にもとづき、仏教施設などを取り壊す「廃仏毀釈《はいぶつきしゃく》」が行われたわけですが、そもそも、なぜ神仏を分離したかというと、それまでは神仏が一体だったからです。

日本の神道と、中国、朝鮮半島を伝わってきた仏教は、本来は異質なものであり、聖徳太子の時代には仏教を取り入れるか取り入れないかで戦争さえ起こっています。「崇仏論争《すうぶつ》」という争いがあって、仏教を信奉する渡来人系の蘇我《そが》氏と神道を信奉する日本土着系の物部《もののべ》氏とが戦争に訴えて血を流すことによって、外来の仏教が初めて輸入されました。

こういう歴史が確かにあったのですが、時代が下るに従って、日本人はもともと和の民族で争いを好まない性質でしたので、神道の神様も仏教の仏様も、本来同じものであるということにしてしまいました。もっと分かりやすくかつ具体的に言えば、日本の神様というものは実は仏教の仏様が、仏教伝来以前に日本人を救うために姿を変えて現れたのだという解釈が生まれたのです。

これは「本地垂迹説《ほんじすいじやくせつ》」と言います。「本地」というのは本体という意味です。つまり日本の神様の本体は仏様であって、それが日本に垂迹——出現したのが神様だということです。過去において、仏が神のかたちで出現したのだという言い方で両者を合一させてしまったのです。仏教と土着信仰をいわば折衷《せっちゅう》して一つの信仰の体系とすることを神仏習合、または神仏混淆《こんこう》と言いますが、「本地垂迹説」は、神仏習合を推し進めたロジックと言っていいと思います。

たとえば有名な例で言いますと、日本各地で「熊野権現《くまのごんげん》」という神様を祀《まつ》る風習がありますが、この熊野権現は神仏習合の観点から仏教の阿弥陀如来《あみだにょらい》と同体であるとされています。阿弥陀如来というのは、西方極楽《ごくらく》浄土の主《あるじ》であり、一切の人々を浄土へといざなう仏のことです。

平安時代末期以降、阿弥陀信仰の聖地とされた熊野三山――和歌山県の熊野地方にある熊野本宮大社《ほんぐうたいしゃ》・熊野速玉《はやたま》大社・熊野那智《なち》大社――を参詣する「熊野詣《もうで》」が非常に盛んになります。今、世界遺産となっている熊野古道もこの時代に整備されたものですが、なぜ熊野詣が盛んになったかというと、熊野権現は阿弥陀如来と同一なのだから、熊野権現が祀られているところはこの世の浄土であるということになるわけで、極楽往生を求める人がみなこぞって詣でるのが大ブームになったわけです。

阿弥陀如来の救いを重点においた鎌倉新仏教の中で、「時宗《じしゅう》」という一遍上人《いっぺんしょうにん》が開いた宗派がありますが、一遍さんはその教えを開く時に、実は熊野権現にお籠《こ》もりしています。神社にお坊さんがお籠もりするというのも妙な話ですが、熊野権現の本体は阿弥陀如来であるのだから、実は何の矛盾もありません。むしろ熊野権現は阿弥陀如来を信仰する一遍さんの行くべきところだとされたのです。

日本にはそういう歴史があるわけです。

●日本の経済を握っていたのはお寺だった

日本では過去において、神社と仏閣というのは同じ宗教団体が管理していました。たとえば都の近くで言いますと、比叡山延暦寺というお寺と、琵琶湖のほとりにある日吉《ひよし》大社は同じ神様、同じ仏様を祀るところでした。

平安時代中頃、比叡山延暦寺の仏教集団が朝廷に対して自分たちの要求・権利を認めさせようとする時に「強訴《ごうそ》」という示威行為を行いましたが、その時に彼らはお坊さんであるにもかかわらず、日吉大社の神輿《みこし》を担いで都に押しかけたのです。神仏の霊威と僧兵の武力を笠に着て、朝廷に要求を突きつけるわけです。

延暦寺に祀られている仏と、日吉大社に祀られている神様は同体であるという感覚が普通にあったから、そういうことが可能でした。そうした宗教団体――「寺社勢力」というのが言い方として一番正しいと思います――の経済基盤というのは、ある意味で国家から独立していました。たとえば、自分たちで酒屋土倉《さかやどそう》、つまり金融業、運送業をやる。あるいは商業をやる。商業も直接やるのではなくて、たとえば関所をつくって物が流通する場合に流通税をとる。これが海の上ですと、水軍と契約して貨物船を臨検させて、品物の中から税金をとる。それを上部団体である比叡山などに納めさせる、というようなことをやっていたわけです。

つまり、寺社勢力は独自の経済基盤を持つ、独立採算の団体でした。だからこそお金が集まるのです。もう一つ、実は重大な財源であったのが、今で言えばパテント料、特許料に当たるもので、これは何かと言いますと、たとえば紙でも醤油でも、あるいは一番典型的な商品は油だと思いますが、製造して販売する許可を与えて、その見返りとして代金の一部を徴収する金銭でした。

油というのは照明用の油、つまり灯明《とうみょう》に使う油ですが、日本でははじめエゴマという植物の実を搾《しぼ》ってつくっていました。のちにもっと効率のいい菜の花が着目され、その種＝菜種を搾ってつくる菜種油に転換されていきました。油をつくるということは、人間誰しもやろうと思えば簡単にできることなのですが、エゴマや菜種を栽培して油をつくり、誰でも儲けることができるかというと、実はそうではありません。そういうことをやろうとする人間は、油の販売権を一手に引き受ける特権を持つ有力なお寺や神社から許可書をもらわなければいけません。

正確に言うと、寺社に所属する下級神職や職人、農民などを含む神人《じにん》や寄人《よりゅうど》といった人々が公権力から特権を与えられて、油の製造・販売に関する権利を独占していたので、寺社から許可書をもらう必要があったのです。

なぜ許可書をもらわねばならないかというと、油や醬油といったものの製造方法をこの国にもたらしたのが、寺社勢力であったからです。それはどういうことかというと、古代以来、最先端技術を持っているのは、もちろん中国とか朝鮮なのですが、そういう技術は、おもに中国大陸に日本の僧侶が留学することによってもたらされてきたのです。

仏教の教えや経典を持ち帰った人は、たとえば古くから数えれば、最澄《さいちょう》さんとか、空海《くうかい》さんとか、あるいは道元《どうげん》さんとか、栄西《えいさい》さんとか、そういう人たちの名前は今でも残っていますが、こういう先端技術を持ち帰った僧侶の名前は、両手で指折り数えられるぐらいしかいません。実は、こうした留学組僧侶たちの多くは、最先端の技術を持ち帰ってきたわけです。

彼らが日本に帰ってきて、お寺をつくることになったとします。すると、瓦をふくにせよ、建物をつくるにせよ、たとえば用材を切り出したりカンナをかけたり、あるいはニスを塗ったりする技術が必要になります。仏像をつくるとなれば、最新の彫刻技術、あるいは金箔を押す技術も要ります。さらには、お経を印刷する木版技術です。これはのちに活版（金属活字）になりますが、そういう技術もいっしょに大陸から持ってこなければ、仏教の教えだけを持ち込んでも普及することはできません。つまり仏教を輸入するということは、最先端技術の輸入を伴うものなのです。

醬油や油をつくる技術も同じです。大陸からお寺を経由して日本社会にもたらされた最先端技術は数え切れないほどです。

だから、そういうものに対する技術の使用料、すなわち、技術を使用して物をつくり、お金を儲ける許認可権は、朝廷でもなく、武士の政権である幕府でもなく、実は寺社勢力が持っていました。

その寺社勢力から、たとえば油なら油の製造販売権を高い金を出して取得し、そして油を生産・販売することによって、その収益の一部を上納金として寺社勢力に納めます。その代わりに寡占《かせん》的に営業を営める業者、そして特にその業者の集団のことを「座」と言ったのです。

油に関しては「油座」、紙に関しては「紙座」といった特権商人たちがいました。これらの寺社勢力はそういう特権商人を利用して、日本の経済を牛耳《ぎゅうじ》っていたわけです。これに対して、朝廷も幕府も、経済圏に関してはほとんど彼らに任せきりでした。平たく言えば、日本の経済はお寺が握っていたという状態がずっと続いていたのが中世という時代なのです。経済を握っている以上、当然お金も集まります。

これは司馬遼太郎の小説『国盗り物語』前半の斎藤道三編に詳しく書かれていますが、灯明用油のライセンスを持っているのは、大山崎八幡宮（離宮八幡宮）という、今風に言えば宗教法人なのです。その大山崎八幡宮の許可を得ないかぎり、絶対に油を製造してはいけません。そして、油づくりというのは寡占企業だから儲かります。すると、当然それを脇目で見ていて俺もつくってやろうと思う者が無許可で油をつくる可能性もあります。そういう時、どういうふうに彼らを排除するかというと、武力を行使するわけです。

具体的には僧兵集団を差し向けて、カルテル破りに制裁をくわえます。違法製造した商品やお店は叩きつぶし、利益は吸い上げてしまいます。だからこそ「寡占できる。だから儲かる。儲かるからやめられない」という、これはまったくの悪循環なのです。

庶民の立場から見ると、たとえば油にしても紙にしても物価はもっと安くなってもいいはずです。

しかし、彼らが寡占的に儲けているためにどんどん値段はつり上げ放題です。商人というのはどこでもそうですが、市場を独占した時はどんどん値段をつり上げます。つり上げても消費者は買わざるを得ません。だから、庶民は苦しんでいました。

●信長は何を改革したのか

そこへ現れた救世主が、織田信長という人です。織田信長は何をやったのかと聞けば、だいたい「楽市楽座」と答える人が多いでしょうが、それがどういう意味かはほとんど理解されていません。楽市楽座というのは要するに、物の製造販売に対する許認可制の完全廃止ということです。独占を禁止し、自由に物をつくっていいし、自由に売ってもいいというのが楽市楽座です。楽市楽座ということになれば自由競争になります。規制緩和どころか規制撤廃ですから、当然物価は下がります。庶民は大喝采ですが、怒るのはこれまで寡占企業としてさんざん儲けてきた連中で、特に寺社勢力です。

寺社勢力は多額の収益をあげる寡占企業であり、さらにその利権を守るために最大の圧力集団である僧兵という軍隊を持っていました。この軍隊を使って、織田信長のやる改革路線を妨害しようとします。

その場合にお坊さんは何と言ったでしょうか。インテリはいつの時代でもそうかもしれませんが、「俺たちのメシの種を奪うな」とは決して言いません。それは卑しいことですから。その代わりに、「あいつは仏教の敵、仏敵である」という言い方をするわけです。

信長がやったことでは、関所の撤廃ということも見逃せません。関所というのは、基本的に治安を維持するためのものでした。つまり反乱とか争乱を防ぐためにあります。それが本来の目的です。ですから通行料は取らないのが本来の関所なのです。たとえば、江戸時代の関所はいろいろと面倒なことはありましたが、箱根の関所でも通行料は取っていません。

ところが戦国時代の関所というのは、逆に通行料を取るのが当たり前でした。なぜならば、治安維持の目的が副次的になってしまい、儲けることが目的になってしまったからです。俺の領土を通るなら、あるいは息のかかっている街道や峠を通るならば金を出せと言う。彼らが儲けるために関所を作ったものですから、織田信長はそんなものは許さんということで、廃止してしまったわけです。単に移動するだけでお金を取られていたのが、関所がなくなれば取られなくてすむわけで、今で言えば高速道路料金を全部タダにしたようなものですから、庶民は大喝采です。

しかし、それを利権として儲けている連中にとってみれば、これまで寝転がっていても銭が入ってきたのにこれからは入ってこなくなるのですから、ますます信長は許せないということになります。

世の中を改革してゆくという流れから見れば、信長のやったことのほうが圧倒的に正しくて、楽市楽座政策、関所の撤廃政策は進められるべきでした。しかし、寺社勢力側から見れば、それは自分たちの利権の完全否定になりますので、絶対に認めがたい。だから信長と寺社勢力というのは、絶対に両立しないものとなりました。

ですから、信長と対抗しようとする旧勢力は寺社と組むわけです。将軍足利義昭《あしかがよしあき》がそうですし、武田信玄も、上杉謙信もそうです。謙信は一向宗《いっこうしゅう》とは戦いますが、宗教勢力そのものに対しては非常に寛容です。しかし、それでは実は天下を取れませんでした。これは常識あるいは人間の知恵というよりも、「歴史の法則」と言っていいと思います。

世の中に大改革が必要な時代というのは必ずあります。現在もそうだと思いますが、大改革をしようという勢力は、旧勢力と手を組めば上手くいくのではないかというふうに常に考えます。

たとえば幕末でいうと、「公武合体」という運動がありました。それまで日本を仕切ってきた幕府という中央政府と、古代からあるけれども最近また新興勢力として復活してきた公家勢力（朝廷勢力）とが手を組めば、きっと国家の改革はスムーズにいくだろうと、そう考えた人たちはたくさんいました。しかし実際のところ、公武合体的な運動は一つも上手くいっていません。

戦国時代もそうで、たとえば武田信玄のように比叡山と組んで世の中を変えようとした人間は、誰もが挫折しています。織田信長のように、ものすごく無謀に見えるけれども、旧勢力と徹底的に対決したほうが、実は結果的に見て効果がありました。なぜそうなるかというと、旧勢力というのは結局、旧来の既得権・利権に支えられているわけで、どうしてもそれを守ろうとするからです。彼らもこのままではいけないと思って、やはり少しは変えなければと思うので、新興勢力の一部と手を組もうとしますが、改革の方向性としては既得権・利権というのを完全に否定しないと世の中は変わりません。

ところが、保守勢力はどうしてもそれを守ろうと時流に逆らい、庶民の支持を得られないため、公武合体的な運動は上手くいかなくなります。これは「歴史の法則」なのです。

幕末では結局、最終的には公武合体よりも倒幕路線のほうが勝ちました。これは戦国時代でも同じことで、旧来の寺社勢力と妥協して、彼らの既得権を認めつつ天下も取ろうとした勢力はすべて挫折して、逆に彼らを全部つぶしてしまおうとした信長が最終的には勝利を収めたのです。

●日本にもあった宗教戦争の時代

今までの話は、宗教集団が政治団体としてこの世の中にある以上、利権というものが生じて、その利権を守るためには、昔は直接的な武力で守るしかなかった、という構造的要請の話をしたのですが、実は宗教集団が本質的に持っている問題点がもう一つあります。それは、自分たちの宗教（派）が正しいと考えて、他の宗教（派）は間違っていると、どの宗教（派）も根本のところでは考えているということです。宗教戦争の恐ろしさというのはまさにそこにあります。双方ともに自分が正義であると考えるとどういうことが起こるかというと、自分が正義なのだから、相手と妥協したり和平交渉に入ることは悪だということになってしまいます。となれば、これは徹底的にやらざるを得ないということになるわけです。

実は日本も昔はそうでした。『広辞苑』のような国語辞典にも載っている事件です。

なぜこれが国語辞典にも載っているのかといえば、実はこの事件は応仁の乱以上に京都を荒廃させた重大事件だったからで、「天文法華の乱《てんぶんほっけのらん》」というのがあります。

天文《てんぶん》五年（一五三六）に起こった事件で、それはちょうど信長が生まれた頃でした。どういう内容の事件かというと、宗教同士の内ゲバなのです。比叡山延暦寺の僧徒が京都の市中、いわゆる洛中《らくちゅう》にあった法華宗《ほっけしゅう》、今で言う日蓮宗の寺院をすべて焼き討ちして、そこにいる人間を皆殺しにしたという事件でした。

この事件は意外に知られていなくて、こういった事件だったと知ると、みな非常に驚きます。なぜなら、日本人は今、偏《かたよ》った歴史の教え方によって、比叡山延暦寺というのは織田信長に焼き討ちされた一方的な被害者だと思っているからです。しかも丸腰でやられたと思っています。ところがそうではないのです。比叡山延暦寺は、実は一大武力集団であって戦国大名勢力の一つだと思っても間違いありません。

もちろん、法華宗も非武装ではなく、その寺院もそれなりに防備は固めていたはずです。たとえば信長の死で有名な本能寺も法華宗ですが、あの時代には堀で周囲を囲んだ堀構えなのです。頼山陽《らいさんよう》の『日本外史』に、明智光秀が「本能寺の堀の深さは……」と家臣に問いかける有名な場面があるくらいで、本能寺のように京都の中心部にある寺院でも、堀に囲まれているのは当然のことだったのです。ということは当然、警備する兵士もいたはずです。日蓮宗とか、浄土宗《じょうどしゅう》のように比較的新しい鎌倉新仏教の寺院では僧兵とは呼びませんが、僧兵に準ずるもの、たとえば信者の武士や雇われた浪人が寺を守っていました。

天文法華の乱とは、この武装した比叡山延暦寺の勢力が、同じく武装した法華宗の寺院を襲って、二十一カ寺も焼き討ちしてしまった事件なのです。

なんでそんなことをしたのかというと、実はこれは商売敵だったからなのです。商売敵というと語弊があるので、もうちょっと分かりやすく言いますと、宗教論争が結局殺し合いになるということです。お互い正しいと思っているので。

これは日本人の常識に欠けている部分なので、より詳しく申しますと、まず比叡山延暦寺の宗派というのは天台宗《てんだいしゅう》です。平安時代に最澄さんが開いたものです。天台宗というのは実は正式名称がありまして、天台法華宗。これは中国にも天台宗というのがあって、天台智者大師智顗《ちぎ》さんという偉い坊さんが開いた宗派でして、それを日本に輸入したのが最澄さんなのです。

天台宗、天台法華宗の教えを簡単に説明してみましょう。まず仏教には大乗《だいじょう》仏

伝教大師最澄（一乗寺蔵／写真提供：便利堂）

教と小乗《しょうじょう》仏教（大乗から見た差別語であることに注意）とがありまして、大乗仏教とは、思い切り端折《はしょ》って言えば「すべての人間は仏に成れるという教え」と言うことができます。この大乗仏教には、数多くの仏典（お経）があります。たとえば法華経あり、浄土経あり、観音《かんのん》経あり、いろいろなお経があります。

　たくさんのお経があると、当然出てくるのが「どのお経が一番正しいのか」という問題で、そういうお経の格付けを論じるなかで、法華経が最高であるということを決めたのが天台智顗さんの業績なのです。

　法華経というのは正式には「妙法蓮《みょうほうれん》華経《げきょう》」と言います。「妙法」は妙《たえ》なる法。素晴らしい教えという意味です。今、法というと法律の意味に使いますが、昔は仏教の教えの意味でした。

　ですから、仏教のことを明治以前は「仏法《ぶっぽう》」と呼んでいました。それが明治以後、外国語の翻訳から宗教という言葉ができ、それにあわせて仏教以外の外来宗教をキリスト教、イスラム教などと呼ぶようになったので、それにならって仏教という言い方になりました。それ以前は聖徳太子もみなそうですが、仏法と言っていました。日蓮が街角でしていた演説も、「辻説教」ではなくて、「辻説法」と言います。だから、「法」は宗教の意味なのです。

「蓮華」というのは蓮《はす》の花です。レンゲ草じゃなくて、汚い泥の中からパッときれいな花を咲かせる蓮の花。汚い世界というのは、我々の醜い欲望とか、あるいはその人間が集まっている汚い世界、穢土《えど》なのです。そこからきれいな花を咲かせる、悟りの花を咲かせるということで、蓮の花（ロータス）というのは、仏教では非常に価値の高い花と考えられています。

ですから、「妙法蓮華経」というのは妙なる法、最高の教えを説いたお経という意味なのですが、それこそがまさに最高の教えであるということを決めたのが、天台の智顗さんで、それを日本に輸入したのが最澄さんです。天台法華宗の総本山である比叡山延暦寺で、法華宗（日蓮宗）の開祖日蓮さんも若き日に学び、山を下りて法華経こそ最高のお経であると主張しました。

ということは、天台宗も法華宗（日蓮宗）も、法華経が最高のお経だと主張しているわけです。何も違わないように思えますが、実は大きな違いがあります。天台法華宗は出家主義なのです。人間は必ず出家して、そして当たり前の話ですが、法華経も読まなくてはならず、読まなければ身につきません。お経もそうです。本というのは何でもそうですが、読まなければ身につけなければいけません。

ところが、実際には庶民は法華経を読むどころか、だいたい字が読める人すら少なかったのです。たとえ平仮名か片仮名が書けたとしても、法華経は漢文で書かれていて日本語に訳されているわけではありません。つまり外国語を学ばなければ読めないのです。なおかつ分量もすごく多くて、岩波文庫でも三冊本になります。しかし、それを読まなくては救われないということになると、庶民は永遠に救われないことになります。

そこで日蓮さんはどうしたかというと、「読まなくてもいいのだよ」ということを言い出しました。タイトルのことを「題目《だいもく》」と言いますが、その題目を唱えるだけでいいのです。つまり法華経の正式なタイトルの「妙法蓮華経」に、これに帰依《きえ》しますという意味の「南無」を頭につけて「南無妙法蓮華経、南無妙法蓮華経……」と口にすれば、法華経の教えの功徳《くどく》にあずかれるぞということを言い出しました。これによって日蓮の教えは爆発的に広まっていきました。理由は簡単。楽だからです。鎌倉新仏教の一つの特徴として、易行《いぎょう》——修行が簡単だということがありますが、これは庶民にとってはとても魅力的だったはずです。

だから京都のあの狭い洛中の中に、二十一もの法華宗の寺院があったわけです。これは当時の人口を考えると、ものすごい数です。ということは、逆に延暦寺の立場から見ると、天台宗のお膝元である京都で、信者のシェアを全部法華宗にとられてしまったということになります。しかも天台宗から見たら相手は邪教です。理屈から考えたらどうしても、日蓮のやっていることは宗教学上では「教義の変更」です。教義というのは教えの根本部分です。それを「題目を唱えるだけでいい」という形に日蓮は変えているわけです。

これもみなさん、意外に気がついていないかもしれませんが、鎌倉新仏教というと、たとえば法然の開いた浄土宗、親鸞《しんらん》の開いた浄土真宗、道元の開いた曹洞宗《そうとうしゅう》、そして栄西の開いた臨済宗《りんざいしゅう》、日蓮の開いた日蓮宗があります。

並べてみて、何かおかしいことに気づきませんか。

そう、日蓮宗だけが、開祖の名前が宗派名になっているのです。法然宗とは言いません。親鸞宗とも言いません。なぜでしょうか。こういうことはあまり考えたこともないでしょう。

そもそも宗教・宗派というものは、教義の変更をできるのは神様・仏様だけなのです。だから天台宗から見たら、なんで日蓮のような一介の坊主に過ぎないものが教義を変えられるのか、ということになります。ところが日蓮宗の人たちは、彼のことを「日蓮大聖人」と呼んでいます。これは法華経に登場する四人の菩薩《ぼさつ》の筆頭である上行《じょうぎょう》菩薩の生まれ変わりという意味です。つまり、日蓮は菩薩だから、教義を変えてもいいということなのです。

ということは、「南無妙法蓮華経でいい」ということを信じるということは、日蓮さん自体が信仰の対象になっているのです。だから日蓮宗と呼ぶわけです。たとえば親鸞さんは阿弥陀如来《あみだにょらい》を信じろと言ったけれども、自身が阿弥陀如来であるわけではありません。のちには親鸞も信仰の対象になっていきますが、少なくとも宗派を開いた時点では違いました。だから親鸞宗とは言いません。

ちょうどユダヤ教がキリスト教に変わった時によく似ています。ユダヤ教から見るとイエスは人間なわけです。だから十字架にかけて殺してもいい。ところがキリスト教徒から見たら、イエスは救世主キリスト様であり、当然、キリストが口にした言葉は神の言葉ということになります。それと同じなのです。

ところが、天台宗からすればそのような教義の変更は認められません。あいつらの言っていることは邪教だということになります。今だったら邪教だなどと言っても、宗教論争になるぐらいだと思います。ところが、当時は双方武器を持っているので、殺し合いになってしまいます。特殊な例のように見えるかもしれませんが、そうではありません。それが当たり前だったのです。

実は天文法華の乱で比叡山が日蓮宗の寺を焼き払う時、浄土真宗の本願寺に「一緒にやらないか」と声をかけています。結局、本願寺は断りましたが、誘いをかけたということは、向こうもやる気があるだろうと予想していたからです。

なぜやると思ったかというと、実は日蓮宗はこの時は被害者ですが、加害者となって本願寺を焼き討ちしたことがあるのです。現在の本願寺は東西に分かれて、いずれも京都にありますが、その前は石山《いしやま》、すなわち大坂で、さらにその前は京都の山科《やましな》にありました。その山科本願寺は天文法華の乱の四年前、天文元年(一五三二)に日蓮宗の宗徒に焼き討ちされてしまったのです。

この理由も簡単です。日蓮宗は「南無妙法蓮華経」、つまり「妙法蓮華経」が最高のお経で、それを信じることが唯一正しいとしています。ところが親鸞の一派は阿弥陀仏さんが最高で、「南無阿弥陀仏」が正しいと言っています。だから、「あいつら邪教だ」ということになり、ついに焼き討ちにまで発展し、山科本願寺はその時、ほとんど無防備でやられてしまいました。そこで大坂に移転した時、「二度とこの過ちは繰り返すまいぞ」ということで、戦国最強の城とも言える石山本願寺を築いたのです。山科本願寺の時の苦い戦争体験をいかしたわけです。

●比叡山焼き討ちの本当の意味

ほとんど同時代にサン・バルテルミーの大虐殺というのがフランスで起こりました。これはどういう話かというと、同じキリスト教徒でありながら、カトリックの宗徒たちがプロテスタントは異端、つまり邪教であるということで、女子供から赤ん坊に至るまでみんな虐殺したという事件です。まさに大虐殺で、一番恐ろしいのは、普通なら子供は許してやろうとか、赤ん坊だから勘弁してやろうということになるはずですが、なんと赤ん坊の肉を切り刻んだというようなことを、しかも嬉々としてやったと記録に残っているということです。これが宗教の恐ろしさで、まさに自爆テロに通じるものでしょう。

一般的、客観的に見たらすごく残虐で人間性に反する行為であっても、宗教的情熱、特に自分たちが宗教的正義を行っているという信念がある場合、人間はとてつもなく残酷になれるということを如実に示しています。

だいたい人類の歴史というのは横につながりがあるので、いくら交通が隔絶しているといっても歴史上の歩みというのは平均化してくるものです。フランスと日本で、同時期に同じような残酷な事件が、宗教勢力によって行われていたということに注意すべきでしょう。

ところが現在、そういうことが日本にあったということは、なぜか忘れられています。この章の一番重要な課題は実はそこにあるのですが、それは宗教による争い事をやめさせた人間がいたからなのです。それは誰かというと、織田信長です。織田信長は比叡山焼き討ちなど宗教団体への弾圧をなぜ行ったのでしょうか？　その理由はおもに三つあります。

一つ目は、政治的目的で、宗教団体が政治に関与して邪魔だてすることを押さえるためで、たとえば楽市楽座のような開放政策を遂行するのを邪魔させないようにするということです。

二つ目は、軍事的目的で、たとえば信長に敵対する戦国大名の浅井《あざい》氏、朝倉氏に基地を提供するような行為を防ぐためでした。宗教勢力ならばきちんと中立を保て、逆に軍事的に介入し、片一方を支援するならば焼き討ちするぞと、信長は事前にちゃんと警告しています。しかし比叡山サイドは、まさか本当に焼き討ちなどはできないだろうと思い、せせら笑っていました。ですから信長は、一罰百戒《いちばつひゃっかい》の意味を込めて焼き討ちを敢行したわけです。

三つ目は、宗教テロの根絶ということでした。宗教を理由にするテロ戦争の類は一切許さないということを信長は断固とした決意をもって示したわけです。その具体的な手段として一番重要なことは武器を取りあげるということでした。武器を取りあげないかぎり、殺し合いはいつまでも続きます。しかし、武装解除を命じましたが、比叡山はそれに応じなかったので焼き討ちを行いました。

信長のあとを継いだ秀吉、家康はある意味、楽でした。信長が宗教勢力との間に「けじめをつける」という前例をすでに作っていてくれたからです。というのは比叡山・天台宗のライバルと言えば、空海さんの真言宗、つまり高野山金剛峯寺《こうやさんこんごうぶじ》です。実はこの高野山金剛峯寺も僧兵集団を多数擁していました。

そこで秀吉は高野山に、武装解除せよ、しなければ焼き討ちするぞと警告しています。すると、高野山は武装解除に応じたので、焼き討ちされずにすみました。ちなみに紀州の根来寺《ねごろ》という新義真言宗の大寺院は、この武装解除命令にノーと言ったため、秀吉によって焼き討ちされています。

ちなみに家康の代になりますと、もう比叡山延暦寺や根来寺の例もあるので、家康の命令に逆らう寺社勢力はありませんでした。もちろん、人間生きていくためには経済的基盤が必要です。寺社勢力が信長に逆らったのも、楽市楽座ということになって自分たちの経済的基盤を取りあげられたら生きていけなくなるではないかという、いわゆる生存権の問題も理由の一つでした。

それに対して信長、秀吉、家康の三代で出した結論は、「宗教勢力は武器を持ってはならぬ」「宗教の争いで人殺しをしてはいけない。もちろん経済にも関与してはいけない」、その代わりに「所領を与えて経済的な安定を得させる」ということでした。ですから、秀吉は比叡山の復興を許したのです。

その現象面だけを見て、残虐な信長に対して優しい秀吉というイメージがありますが、それは全然意味の違うことです。信長が焼き討ちしたのは、平和勢力の比叡山ではなく、武装勢力の比叡山であって、宗教テロも辞さないということを看板にする団体でありました。それを信長は焼き討ちでやめさせたわけです。

秀吉がそのあと復興を許したということは、領地を与えることによって経済基盤を確保する代わりに、「平和勢力になれよ」「武器を持つことは一切許さんぞ」ということを命じ、寺社側はそれを受け入れたわけです。

家康はこれをさらに進めて、寺社勢力の武装解除を徹底し、なおかつ寺領を与えることによって、国家に取り込みました。

しかし、ここから先が微妙なところですが、かつて宗教戦争があまりにも盛んであったという教訓を踏まえてのことだと思いますが、江戸時代は一切、改宗を禁止しています。たとえばお坊さんが、「私はこれまで天台宗だったけれど、どう考えても日蓮宗のほうが良さそうなので日蓮宗に改宗します」、これは許されませんでした。あるいは、信徒のほうはもっと厳しく、信徒がたとえば、「うちはずっと先祖代々浄土真宗の檀家だったけれども、どうも説法を聞いていると日蓮宗のほうが良さそうだから日蓮宗に改宗します」、これもダメなのです。

つまり完全に自由競争をなくしてしまったのです。本山・末寺《まつじ》制度をつくって、すべての寺院は本山の言うことを聞かなければいけないようにしました。その本山を幕府が統制することによって、すべての末寺を統制するということが、幕府の宗教政策における柱の一つでした。

もう一つの柱は檀家《だんか》制度です。すべての日本人はどこかの寺の檀家でなければいけなく、これは強制信仰みたいなもので、檀家は勝手に、しかも永久に変えられませんでした。こうした宗教統制は、基本的には宗教という非常に危険な要素をはらんだものを国家の統制下に置き、宗教戦争・宗教テロを根絶するという意味を持っていました。しかし、強力な統制、あるいは政策というものには必ず副作用があるものて、こうした幕府の宗教政策のおかげで仏教内において競争が一切なくなってしまい、明治になって信仰の自由が解禁された時にみな困ってしまいました。日本人はよく「私は無宗教です」と口にしながら、それと同時に「でも、うちの宗旨は浄土宗です」などと言ったりもします。これは江戸時代の檀家制度の名残であって、すでに近代以降には家の宗教などというものは、どうでもいいことになってしまいました。個人がどういう信仰を持っているかというのが重大なはずなのに、そういうことにあまり明治以降の仏教は応えていません。

しかし、まったく応えていないわけではなくて、たとえば日蓮宗系の宗教団体もありますし、あるいは本願寺などもそれなりに努力していることは事実ですが、なぜ日本人が無宗教的になってしまったかというと、江戸時代の檀家制度のせいで、個人が自分の信仰や宗教について一切考えなくてもよくなってしまったからです。

その代わりいいこともあります。「自分の宗教は正しい。相手の宗教は間違っている。だから相手は殺してもいいのだ」という宗教特有の不寛容さは、日本人にはなくなりました。これは恐らく世界に先駆けてなくなったと言ってもいいと思います。

だから、ローマ人の歴史をずっと書いている塩野七生《しおのななみ》さんは、『男の肖像』という著書で、織田信長が日本人にした最大の贈り物はこれだと言っています。要するに宗教テロの根絶ということです。宗教テロというのは、「自分が絶対正しい。自分の宗教だけが絶対正しい」と思うところから起こるわけです。自分が絶対正しいなら他は全部間違っていることになります。その間違っている宗教を信じている奴は悪人で、悪は滅ぼすべきだということになり、ということは殺してもいい、正義だから殺しても良心の呵責《かしやく》も全然起きないし、どんなに残虐に殺しても平気だ、ということにさえなってしまいます。

この悪弊から、残念ながら人類は未だに抜けでているとは言えません。ただし、ひいき目かもしれないけれど、日本人はかなりそこから抜けでることができました。その功績は織田信長にあるということはまだまだ知られていません。知らないどころか、丸腰の僧侶がいた比叡山を焼き払った信長は残虐で政治家としては認めるわけにはいかないなどと言う人が、歴史家の中にもいるのです。いかに歴史が分かっていないかということです。

第十章

織田信長は宗教弾圧者か

▼歴史に対する大きな認識不足と誤解

「あなたは、八百長で恥をかかされて、平然としていることができますか？」

●浄土宗対日蓮宗

織田信長というと、時代の変革者といったプラスのイメージがある一方、独断専行の独裁者、あるいは比叡山の焼き討ちや一向一揆《いっこういっき》の殲滅《せんめつ》といった宗教弾圧を行った非情な政治家といったマイナスイメージもついてまわります。

そのマイナス評価がまったくの間違いで、歴史に対する「認識不足と誤解」に基づいていることは第九章に触れましたが、信長と宗教とのからみで非常に興味深い「安土宗論《あづちしゅうろん》」について触れてみたいと思います。

安土宗論というのは、簡単に言うと、信長の命令で法華宗（日蓮宗）と浄土宗とが行ったディベートによる宗教上の対決です。そして、その対決の結果、日蓮宗が敗れ、「もう二度と他宗に対して誹謗中傷はいたしません」という詫《わ》び証文《しょうもん》を書かされたという話なのです。

浄土宗側の参加者は以下の通り。

・鎮西義《ちんぜいぎ》の僧、覚蓮社霊誉玉念《かくれんしゃれいよぎょくねん》
・安土西光寺《さいこうじ》の教蓮社聖誉貞安《きょうれんしゃせいよていあん》
・近江の正福寺《しょうふくじ》開山、想蓮社信誉洞庫《そうれんしゃしんよどうこ》
・京都知恩院内一心院の助念《じょねん》（記録者）

これに対し、日蓮宗側の参加者は次の通り。

・京都頂妙寺《ちょうみょうじ》の日珖《にちこう》
・美濃斎藤道三の帰依僧、常光院日諦《じょうこういんにったい》
・京都妙満寺《みょうまんじ》の久遠院日淵《くおんいんにちえん》
・京都妙顕寺《みょうけんじ》内法音院の僧某（記録者）

以上の四人ずつが左右に対座し、――

・南禅寺《なんぜんじ》の鉄叟景秀《てつそうけいしゅう》
・鉄叟の伴僧《ばんぞう》、華渓正稷
・因果居士《いんがこじ》（華厳宗の学者？）
・法隆寺の仙覚坊《せんがくぼう》

この四人が判者（審判）を務めたと記録されています。

天正七年（一五七九）、安土城が完成した年に起きた「事件」なのですが、これはあらゆる歴史概説書や事典のたぐいでは、信長が法華宗、つまり日蓮宗を弾圧するための八百長であったと記しているのです。

『国史大辞典』（吉川弘文館）――これはつまり、我が国の歴史学界でもっとも認められた、最高の研究水準を結集した辞書だと考えればいいと思いますが――の「安土宗論」の項目を見てみましょう（ルビは、小社編集部による）。執筆者は仏教史の専門で、東京大学史料編纂《へんさん》所の教授・所長を務めた菊地勇次郎（一九二一～一九九二）です。

安土桃山時代に近江の蒲生《がもう》郡安土村慈恩寺《じおんじ》にある浄土宗鎮西義の浄厳院《じょうごんいん》で行われた浄土宗と日蓮宗の法論。（中略）信長の内意を受けた因果居士の干渉などがあって、浄土宗の勝ちとされた。その結果日蓮宗側は題目曼荼羅《だいもくまんだら》に書いた奉行衆宛の詫《わび》証文《しょうもん》を出し、京都の諸本寺まで罰金を納め、日珖以下の桑峯寺（桑実寺か）籠居など、きびしく処罰されたのに反し、信長は貞安に感状と賞金を与えるなど、全国統一の政策上、はじめから日蓮宗を迫害しようと計ったようである。

●いかにして「通説」ができたか

まさにこれが、「安土宗論」についての学界の通説なのです。要するに、信長はあまりにも日蓮宗が他の宗派に対して攻撃的で、自分にも反抗的だったので、その勢いを挫《くじ》くためにわざわざ八百長の宗論——あらかじめ日蓮宗が負けることになっている勝負をさせて、敗れた日蓮宗側に詫び証文を書かせた——を仕掛けたというのが通説なわけです。

その通説を誰が言い出したかというと、明治の歴史学者で仏教史の権威とされている辻善之助《つじぜんのすけ》（一八七七～一九五五）という人です。学界の権威が「八百長」だと決めたものだから、ずっとそれが定説となり、誰も疑わなかったのです。

しかし、私に言わせれば、「安土宗論」は八百長でもなんでもありません。

辻善之助の大著『日本仏教史』には、審判に選ばれた南禅寺の長老、鉄叟景秀は耳が遠くて、実は討論の内容が全然分かっていなかったと書かれています。もちろん、その根拠となるような史料もあります。日蓮宗側の主要メンバーとされている日淵が書いたという『安土問答実録』がそれです。

これによると、信長が宗論後に景秀を召してねぎらったところ、景秀は、自分は年老いて耳が遠いのでよく聞こえなかったと告白したというのです。

ところが、この根本史料であり、信長研究でもっとも重視されるべき伝記史料の『信長公記《しんちょうこうき》』には、こうした「事実」は記されていません。また、「八百長説」のもう一つの根拠として、宗論で「副審」の役割を果たした因果居士という人物が、もともと信長サイドの人間で、浄土宗側に有利になるように議論を誘導したとされているのですが、こうした話も『信長公記』には出てきません。

つまり、長老の耳が遠かったとか、信長側の意を受けた審判が八百長をしたというのは後世の史料にしか出てこないことで、しかもその史料というのは、日蓮宗の関係者が関与したものだという節があります。

つまり「八百長説」の論拠は二次史料なわけです。実際に討論を聞いたか、あるいは聞かないまでも、それに出席した人から直接話を聞いたであろう信長の右筆《ゆうひつ》、秘書である太田牛一《おおたぎゅういち》が著した『信長公記』には、八百長を匂わせるような事実は記されていません。だとすれば、あくまでもその内容に即して議論をしなければならないはずです。

ところが驚くべきことに、これははっきり断言してもいいと思うのですが、辻善之助以来、誰もそうした修正作業をやっていません。歴史学の先生方は、辻善之助の言っていることをそのままコピーしているだけなのです。

●浄土宗側は卑怯か？

ところで、なぜこの宗論で日蓮宗側が敗れたということになっているかというと、ある問答が続いてきて、最後の最後に浄土宗側がこういう問いを発します。

「方座第四の妙《みょう》は如何《いかん》」

これに対して日蓮宗側は返答をすることができず、言葉に詰まってしまった。その結果、日蓮宗側の敗北と判断されてしまったのです。そして、この「方座——」という問いかけは、実は意味不明の「つくりごと」だと考えられていて、つまり浄土宗側は意味不明の問答を仕掛けて、それに答えられなかったから日蓮宗側の負けということにしてしまったということなのです。だから、この宗論で浄土宗側が勝利したのは「不正」である、ということにされてきたわけです。

「方座第四の妙は如何」とはどういうことでしょうか。

釈迦《しゃか》は、その生涯を五つの期間に分けて八つの教えを説いたとされています。五つの期間とは、①華厳時《けごんじ》、②鹿苑時《ろくおんじ》、③方等時《ほうどうじ》、④般若時《はんにゃじ》、⑤法華涅槃時《ほっけねはんじ》、の五つです。

この三番目の方等時（つまり方座）で、釈迦は「蔵《ぞう》、通《つう》、別《べつ》、円《えん》」の四つの教えを並説したとされ、このうち第四番目の「円」こそが、大乗仏教《だいじょう》における真の教えとされています。

大乗仏教というのは、釈迦の死後に新たに作り出されたもので、それまでの個人救済を主としていた「小乗仏教《しょうじょう》」を否定し、それはあくまでも釈迦が大衆にあわせて、レベルを落として教えを説くための「方便」だったと位置づけています。そして、真実の教えは大乗仏教において初めて明らかにされ、最終的に最高の教えを説いたものが妙法蓮華経（法華経）だということになります。つまり、法華経以前の教えは、「方便」として否定される解釈になるのです。

第四番目の「円」が大乗仏教の真の教えであるならば、当然、妙（妙法蓮華経＝法華経）に象徴される完全な、最高の教えも説かれたはずだということになります。

安土宗論における浄土宗側の「問いかけ」は、そこを突いたものでした。

天台教学にのっとって法華経以前の教えをすべて〝方便〟として否定するならば、「釈迦が『方等時（方等座）』において説かれた『円』の教え（＝妙）はいったいどうなるのだ。それを捨てるのか捨てないのか？」。「方座第四の妙は如何」とは、こうした問いかけだったのです。もちろん、つくりごとの意味不明な問いかけなどではありません。卑怯な手でもないわけです。

ところが日蓮宗側では、この問いはまったく意味不明の卑怯な問答であるとされてきました。それは自らの負けを認めたくないための窮余の策だったのでしょう。

ずっとあとのことになりますが、近代における日蓮宗の研究者・思想家で、社会運動家でもあった田中智学《たなかちがく》（一八六一〜一九三九）という大学者がいました。この田中智学も、「経文」にも「論文」にも出てこないようなつくりごとの言葉で相手を煙に巻こうとしたものであるとして、浄土宗側の対応を激しく非難しています。

ところが田中は、同じ論文のなかで、「方座第四の妙」というのは、恐らくはこういう意味であろうと、「正しく」読み取っているのです。

これはどういう意味を持つかおわかりでしょうか？　田中智学は明治の人ですが、日蓮宗の学者に意味がとれるということになったら、当然安土桃山時代に討論に出席していた日蓮宗側の討論者もこれに答えられなければいけなかったはずです。答えてないということは、それは当然負けだということになるのではないでしょうか。

つまり、日蓮宗側の敗北は、信長が仕掛けた八百長でも何でもなく、負けるべくして負けたということになるのです。

●史料絶対主義のウソ

ここで述べてきたような「事実」は、根本史料の『信長公記』にちゃんと載っているのに、前項で述べた学者の方たちはその意味が分かっていません。分かっていないから意味不明だという日蓮宗側の言い分をそのまま受け止めて、意味不明だからこれは八百長だということにしてきたわけです。「方座第四の妙」という言葉は、ちゃんと意味のとれる言葉なのです。そのことを他ならぬ日蓮宗の学者の田中智学すら言っているのですから。

実は私も、最初はこの言葉の意味は分かりませんでした。しかし、この安土宗論の討論が行われた浄厳院という滋賀県安土町に現在でもあるお寺に行って、先代住職にその意味を聞いたところ、いまここで述べたような解釈を教えてもらい、その意味をよく知ることができました。さらに「このことを解説した論文もある」とい

浄厳院（写真提供：安土町観光協会）

うことで、京都の佛教大学まで足を運び、それも確認しました。

歴史学の先生方は、いままで自分の足で実際に確認をするといった程度の作業も怠っていたということなのではないでしょうか。歴史学者は「史料が大事だ。史料が大事だ」ということを口にしますが、それは人間の当たり前の常識を見失ってしまうほど、史料に依存して歴史を解釈してしまっていると言ってもいいと思います。私はそれを「史料絶対主義」と呼んで批判しているのですが、少なくともこの件に関しては、それとはまったく逆です。『信長公記』という一次史料があってちゃんと討論の内容を書いてあるにもかかわらず、それを精査していません。後世で言われてきた長老の耳が遠かったとか、あるいは八百長があったなどという断定よりも、まず史料を精査するべきなのに、それをしていません。これは、はっきり怠慢と言っていいと思います。八百長があったかどうかということより、まさにそのようなことが問題です。

●法華一揆はなぜ起こらなかったか

安土宗論が八百長などではないということはお分かりいただいたと思いますが、もし定説のように八百長だったとすると、日蓮宗は騙されたということになります。もしそうならば、なぜ法華一揆が起こらなかったのかということを考えてみる必要があります。あの時代の宗教人というのは武装集団です。武装集団が侮辱を受けて、しかも騙されて、八百長で詫び証文を書かされたとしたら、これで黙っていられると考える方がおかしいと思います。

第一、もし騙されたならば、おとなしく詫び証文を書いたわけがないでしょう。書いたとしたら、そのことに対する糾弾《きゅうだん》の声が教団内部で絶対にあがるはずです。なぜそんなことを書いたのだと。これは公開討論ですから、みんな見ていたわけです。みんな見ているということは、少なくともこの難しい言葉の意味は分からなかったとしても、八百長だったら分かるはずなのです。そうすると、当然大規模な抗議行動が起こっても不思議はないでしょう。

ところが学者の方たちは、要するに信長というのは大権力者で、強大な軍事力を持っているから怖くて日蓮宗側は黙ったのだろうとおっしゃいます。そんなわけはありません。それを言うなら、本願寺は信長に徹底的に抵抗しているではないですか。しかも日蓮宗はもっと戦闘的なのです。

では、本当のところ、なぜ詫び証文などを書いたのでしょうか。負けを認めざるを得なかったのだと考えるのが一番合理的な解釈ではないでしょうか。

八百長ではなくて日蓮宗が負けたということを認めるのは、日蓮宗の立場からすれば辛いことかもしれません。しかしこれは、その時の出たメンバーが悪かったということであって、浄土宗のほうが日蓮宗より優れているということでもなければその逆でもないと思います。

テレビの公開討論と同じで、その時たまたまメンバーが悪かったので負けたということなのです。もしそれでも日蓮宗の人は「いや、これは信長の八百長だった」ということにこだわるなら、別の問題が出てきます。信長が八百長を仕掛けてきたのに誰も文句を言った人はいないのですから、この時代の日蓮宗の人間はみんな腰抜けだったということになってしまいます。

日蓮宗は、そもそも権力に対して非常に戦闘的な宗派です。日蓮さんがそうですし、六代将軍足利義教《あしかがよしのり》の頃は「鍋かぶり日親《にっしん》」というのがいて、「お前、間違ってるから改めろ」と攻撃され、灼熱《しゃくねつ》した鍋を坊主頭にかぶせられ、大やけどをしましたが、それでも自説を曲げなかったという、そういう人がいるのです。このように日蓮宗というのは権力に対しても決して屈しない宗教なのです。

それなのに、誰も信長に文句を言っていないということは、負けを認めざるを得なかったのだと私は思うのです。そうじゃなくて、「いや、あれは八百長だ」と言い張るならば、この時代の日蓮宗徒は一番上から一番下まで全員腰抜けだったということになるわけで、そんなバカなことをあなたは認めるのですかということになるわけです。そういう意味から考えてもおかしいのです。

●信長の行った武装解除の本当の意味

宗教についての常識がまったくないから、安土宗論は八百長だったというバカな結論になるわけです。そもそも宗教勢力に対して八百長なんか仕掛けて、それで弾圧できると思ったら大間違いで、そんなことをやったら何百年も、禍根《かこん》を残します。武装宗教集団はそんな政権の言うことを、絶対に聞きません。

本当の信長は実は宗教に対して公平であって、十年にわたって徹底抗戦をした本願寺に対しても、「もう武器を持って戦いはしません」と誓ったあとは、宗教の自由を完全に認めています。

しかし信長という人は、安土宗論に見られるように日蓮宗を弾圧したとも言われ、本願寺に関しては徹底的に攻撃したと誤解されています。要するに、信長は合理主義者で無神論者で宗教的なものが大嫌いである。本願寺をつぶそうと思って徹底的に大虐殺をしたのだというイメージで語られています。大虐殺したのは事実ですが、それに至る過程はまったく皆さんの思っていることと違うわけです。

織田信長（長興寺蔵／写真協力：豊田市郷土資料館）

本願寺が講和したあと、信長はどうしたかというと、一言で言うと総赦免《そうしゃめん》（つまり完全な免罪）です。信長はそれまでに自分の弟やかけがえのない部下や兵士を何人も殺されているのですが、そのことに対して一切罪は問いませんでした。もう一つ肝心なことは、

「諸国往還《おうかん》自由のこと」と言って自由な布教も許しています。信長の認めた赦免状は、今でも西本願寺に保存されています。つまり信長は本願寺教団に関して、本願寺が「もう抵抗はしません」と誓ったあとは宗教の自由も完全に認めているし、これまで俺の部下を殺したやつの首を差し出せなんていうことも一言も言ってないわけですから、これほど寛容な人間はいないのではないでしょうか。

そもそもなぜ信長と本願寺がケンカするようになったかというと、一般的には信長のほうから先に本願寺に戦争を仕掛けたと思われていますが、実は逆なのです。信長は突然、無防備なところを彼らに奇襲されました。つまり先に手を出したのは本願寺のほうなのです。この点は歴史学界も認めていることで、私の情緒的意見ではありません。それでも信長は本願寺とことを構える気はあまりなくて、二回も講和を結んでいます。要するにもう戦争はやめましょうと、停戦を呼びかけたり、朝廷の停戦調停に応じています。にもかかわらず講和を破ってきたのは、本願寺のほうなのです。

不可侵条約を結んだのに、二回とも本願寺のほうから破ってきているわけで、そのあとに起こったのが大虐殺なのです。だから大虐殺というのは、いいことでないには違いありませんが、講和を何度結んでも向こうから破ってくるなど、とにかく交渉の対象にならないとしたら、手段は一つ、殲滅《せんめつ》しかありません。あれはあくまで見せしめだと思うのですが、とにかく本願寺が最終的に武装解除して石山本願寺を退去するというところまでいかないかぎりは、徹底的にやらざるを得なかったと思うのです。

現代日本を代表する宗教学者の山折哲雄《やまおりてつお》氏は、信長のやったことは決して宗教の弾圧ではなくて、宗教と政治を切り離すことだと指摘しています。具体的にいえば、宗教が武器を持って政治に口を出すことを排除したのだということなのです。

前章でも述べたようにローマの歴史に詳しい塩野七生《しおのななみ》さんの言葉を借りれば、これは、信長の日本人に対する巨大な贈り物なのです。つまり政教分離というのは今のヨーロッパでも実現できていないようなところがいっぱいあるし、ましてやイスラム教国ではいまだに政教一致のところすらあります。

ところが現在、日本は完全に政教分離が実現しています。それは信長のおかげです。信長一代では完成しませんでしたが、次の秀吉、家康の代で完全に宗教勢力を非武装化しました。それ以後、僧侶が武器を持つなどというのはとんでもないという常識ができたわけです。

ところが、往々にして歴史を知らない人は、坊さんは武器を持ってないという、あとに作られた常識で見るから、「信長はその坊さんたちを虐殺した。だから信長はとんでもない大悪人だ」と思ってしまいます。しかし、それは本末転倒の議論であって、信長が焼き討ちした比叡山というのは武装集団で、比叡山のやっているのは自分たちの宗教の勢力を拡大することが目的で、ある意味で言えばエゴイズムです。ところが信長は、日本全体の宗教勢力を非武装化することが目的であって、公的目的でやっているわけです。それが全然違う。そして秀吉の代になって、天台宗＝比叡山延暦寺のライバルである高野山金剛峯寺が武装解除に応じるのですが、それは信長が行った比叡山の全山焼き討ちを知っているから、実現したことです。一方、それでも根来寺《ねごろじ》は秀吉に逆らったために、焼き討ちされてしまいました。

このことから、「残虐な信長、優しい秀吉」という一般的なイメージは大きな間違いであることがわかっていただけると思います。なぜ焼き討ちをしたかということは、何度も言いますが、宗教団体を武装解除するためです。

宗教団体というのは必ずしも仏閣だけじゃなくて神社もあります。そして、信長、秀吉が血を流して宗教者の武装解除に取り組んだおかげで、江戸時代は坊さんが丸腰ということが当たり前になったという流れがあるのです。

以上のことから、信長は決して宗教弾圧者ではなかったということが言えるのです。

第十一章

豊臣秀吉はなぜ朝鮮出兵をしたのか

▼史料からは見ることができない歴史の裏側

「あなたの周りには物事が上手くいっている時は文句を言わなかったのに、失敗した途端に『俺はやっぱり失敗すると思っていた』と言う人はいませんか?」

●定説がない朝鮮出兵の理由

次に豊臣秀吉を取り上げますが、秀吉という人を歴史的にどう評価するかは、実は大きな問題をはらんでいます。昔はおおむね、足軽から身を興して天下人にまで上り詰めた偉人の中の偉人という位置づけだったはずですが、戦後は、文禄《ぶんろく》・慶《けい》長《ちょう》の役(一五九二~一五九八)、いわゆる朝鮮出兵のことが「負の遺産」として取りざたされてしまい、現在の標準的な歴史評価としては、天下を統一するところまでは良かったけれども海外侵略という余計なことをしたのはまずかった、といったところでしょう。

以前に「NHK大河ドラマ」で秀吉を主人公とした時などは、人生を順にたどっておきながら、なぜか朝鮮出兵のあたりで話をうやむやにしてしまい、その事跡をどう扱うのか、肯定的に取り上げるのか、秀吉の汚点として描くのかを巧妙に避けていました。韓国に対する政治的な配慮がその背景にあったと思われますので、それはそれ自体、問題をはらんでいますが、その問題はとりあえずおいておきます。

侵略という言葉をどういう意味で使うのかについては難しい問題がありますし、近代以降の国家観や軍事常識に基づく用語としての侵略という言葉を、秀吉の時代の出来事にそのまま使用するのは問題だとは思いますが、秀吉率いる当時の日本軍が、朝鮮半島の国土・人民に対して多大な損害を与えたことは事実です。

それは、倫理的には問題のあることだとは思いますが、そういう「迷惑をかけた云々」という倫理の問題を抜きにして考えれば、私は秀吉が海外に派兵したのは必然だったと思うのです。必然と言うと言いすぎかもしれませんが、歴史的にはやむを得ないことだったのだと思っています。

現在の歴史学の「常識」では、秀吉は国内の反対を押し切って無理に戦争を強行したということになっています。そして、秀吉が朝鮮に出兵した理由をめぐっては、驚くべきことに未だ明確な定説はないのです。東京工業大学教授で歴史学者の山室恭子《やまむろきょうこ》氏は、その著書『黄金太閤』のなかで「彼がなぜ出兵に踏み切ったかという肝腎の問いに対しては、いまだ説得的な解答が示されていない」と記していますし、『日本の歴史15　織豊政権と江戸幕府』（講談社）の著者で成蹊大学教授で同じく歴史学者の池上裕子《いけがみゆうこ》氏も、「朝鮮出兵は無謀の暴挙にみえるし、明《みん》征服などできるはずがないと我々には思われる。当時の人だってそう思っていた。それなのになぜ秀吉はそんなことを計画したり考えたりしたのか、なぜそこへつき進んでいったのか、大きな謎である」と書いています。

「当時の人だってそう思っていた」と断定してしまうところには問題があると思いますが、ともあれ、朝鮮出兵の理由について、日本の歴史学はまだ答えを出せていないということはお分かりいただけるでしょう。

歴史学者はともかくとして、秀吉の出兵の理由として巷《ちまた》で言われているのは、秀吉は淀殿との間に初めて子供を授かったけれど、その子、鶴松が三歳にもならないうちに死んでしまったため、その悲しみを紛らわすために外征というとんでもないことを思いついたのだ、という説です。小説や歴史ドラマなどでは、どうもそういう印象を与えるような表現にしていることが多い。

この説は誰が最初に言い出したのでしょうか。実はその淵源《えんげん》をたどると、徳川家康のブレーンであった儒学者林羅山《はやしらざん》という人が家康に命じられて書いた『豊臣秀吉譜』という公式の歴史書にあります。

なぜ徳川政権が『豊臣秀吉譜』という公式の歴史書を書かせたかといえば、これも人間社会の常識で考えれば火を見るよりも明らかで、秀吉というのは滅ぶべくして滅んだ、つまり秀吉は悪人だったということにしたかったわけです。そうでなければ、豊臣家を滅ぼした徳川家が悪ということになってしまいます。

豊臣秀吉（高台寺蔵）

これは日本に限らず、世界のどこでも行われていることなのですが、前代の権力者を倒した者は、必ず「前の権力者は悪だった」と言うのです。官製の歴史書は、そう記すものなのです。悪だからこそ倒したのだという明確な自分の正当化です。これは世界史を考えるうえでの〝常識〟と言ってもいいでしょう。

ましてや林羅山という男は、家康のブ

レーンとして豊臣家を貶《おとし》めたり、攻撃したりした「実績」があります。有名な事件で方広寺《ほうこうじ》の鐘銘事件というのがありました。秀吉の死後、豊臣秀頼が方広寺というお寺を再建した時、京都南禅寺《なんぜんじ》の清韓《せいかん》長老という有名な僧侶に大釣り鐘の鐘銘を書かせました。鐘銘自体は長文なのですが、林羅山はその文章の中の「国家安康　君臣豊楽」という八文字に目をつけて、この「国家安康」というのは、家康という名前を二つに割っている。家康を二つに割ったのは徳川家を呪うものであって、「君臣豊楽」では、豊臣を中にしのばせているではないか、これは豊臣家の繁栄を願うものである、というとんでもない言いがかりをつけた男なのです。

この言いがかりをつけた男が『豊臣秀吉譜』を書いているわけですから、その内容はおよそ信用できないと考えるのが常識です。

●武士は戦を望んでいた

秀吉が子供を失った悲しみを紛らわすために朝鮮に兵を送ったという「珍説」は、さすがに本気で信じられてはいません。しかし、この「珍説」に惑わされなかった人でも、豊臣秀吉が国内の反対を押し切って外征に乗り出したという「通説」には、先述のように歴史学者でも真に受けて惑わされてしまっています。朝鮮出兵など誰も望んではいなかったのだ、とおっしゃるわけです。そして、その根拠として具体的な史料を挙げています。確かに今残っている史料というのは、ほとんどが「こんな無茶なことをやってどうしようもないな」とか、「こんなにたくさん人を殺すのは許せん」というような史料ばかりです。

ですから、歴史学の先生は、「見ろ、この史料を」「こんなに人々は文句ばっかり言っていた」とおっしゃるわけですが、ここでちょっと立ち止まり、〝人間社会の常識〟に戻ってほしいのです。動員された軍勢がそんなに文句たらたらの状態で、戦争ができると思いますか？

戦争というのは、第二次世界大戦のことなどを考えてみても分かると思いますが、始まる時はどこの国でも「イケイケ」なのです。どんどん攻めろ、やってしまえ、という高揚した状態です。そして、そのように盛り上がり、高揚した気分になるのには、それなりに理由があるのです。

山本七平《しちへい》が『私の中の日本軍』という本の中で紹介していますが、戦争中からこういう言い方があったそうです。

「戦争、なぜ終わらざるか。それは軍人の戦時加俸（昇給）がなくならないためだ」

つまり戦争が続いているかぎり、軍人の給料は上がり続けます。だから戦争というのは終わらないのだということで、すでに昭和・戦前の時代にも、こういうことは言われていました。

ましてや戦国時代は戦《いくさ》が日常でした。武士は基本的に、戦で活躍することで出世していったのです。司馬遼太郎に『功名が辻』という小説があります。「功名」とはなにかというと、簡単に言えば敵を殺してくるということです。敵を殺してきたら領地が増え、城がもらえ、男にとってみれば女をたくさん囲い、子供もつくれるというのが武士の現実で、それは誰もが望むことです。

出世を望む当たり前の武士なら、誰でも功名を上げたいと思うし、実はそれを実現した最大の成功者である豊臣秀吉という男が目の前にいます。その秀吉が天下を統一したわけですが、天下を統一するとは、そもそもどういうことでしょうか。

日本でも、三国志時代の中国でも、ヨーロッパでもみなそうですが、乱世というのは突出して強大な勢力はいないということです。そこそこに強い奴がいっぱいいるからまとまらないというのが乱世なのです。三国志が典型的ですし、日本の戦国時代も、毛利元就《もうりもとなり》がいて、今川義元《いまがわよしもと》もいて、北条氏康もいて、武田信玄もいて、上杉謙信もいて、伊達政宗《だてまさむね》がいるという、まさに群雄割拠なわけです。

そういう群雄を一つにまとめるということはどういうことかというと、並み居る敵をつぶすか、家来にするかということなのです。ということは、乱世を統一したというのは、その国の歴史、その民族の歴史の中でも、とびきりの英雄の一人です。そうでなければ、バトルロワイヤルの勝者にはなれません。では、バトルロワイヤルの勝者になるためにはどうすればいいかというと、他の群雄を圧倒するだけの強大な武力と、経済力がなければダメなのです。

武力というのは具体的に何かというと、優秀な兵士と優秀な武器ということです。ところが、天下が統一されるということは戦争が全部終わるということですから、どうなってしまうでしょうか。優秀な兵士と武器は使い道を失い、大量に余ってしまいます。

ですから、天下統一がなる、平和な時代になるということは、逆説的に言えばリストラ問題と常に背中合わせだということになります。「戦争はもう終わりました。君たちの仕事はありません。武器ももう使えません。だから全員クビだよ」ということになったら、どういうことになるでしょうか。大反乱が起こるかもしれません。

そうなったら豊臣秀吉だって無事ではいられない。自分の権力を維持するためにはどうしたらいいか、これは世界史を見れば、人間社会の〝常識〟として当たり前のことですが、乱世を統一した英雄というのは、その余ってしまった強大な軍事力をどこかで使おうと思って、まず間違いなく外征に乗り出すものなのです。

日本では秀吉しか実例がないのでピンとこないかもしれませんが、アレキサンダーしかり、チンギス＝ハンしかり、ナポレオンしかり、世界史に目を向ければ、珍しいことではありません。先ほど秀吉の朝鮮出兵を必然と言ったのは、そういう意味なのです。余ってしまった軍事力のはけ口を外に向けないと、その権力者自身の存在が危機にさらされて、下手をすると殺されてしまいます。

では権力者は外征に消極的かというと、そうではありません。むしろ外に敵を求めることによって国はどんどん拡大していき、ある意味では高度成長できるわけです。これは家来の側から見てもプラスの面があります。先ほどの戦時加俸の問題とも関わってきますが、戦時加俸というのは、戦争が続けば続くほど給料が上がるということです。今、たとえば五十石取りの武士がいるとします。戦争が終わって、「もう戦争がありませんよ」ということになると、もう永遠に出世のチャンス、功名を立てるチャンスがないから、永遠に五十石で終わってしまいます。ところが、戦争が続いて、海外に領土を拡大したら、それが百石になり、一万石になり、十万

文禄の役（1592年）

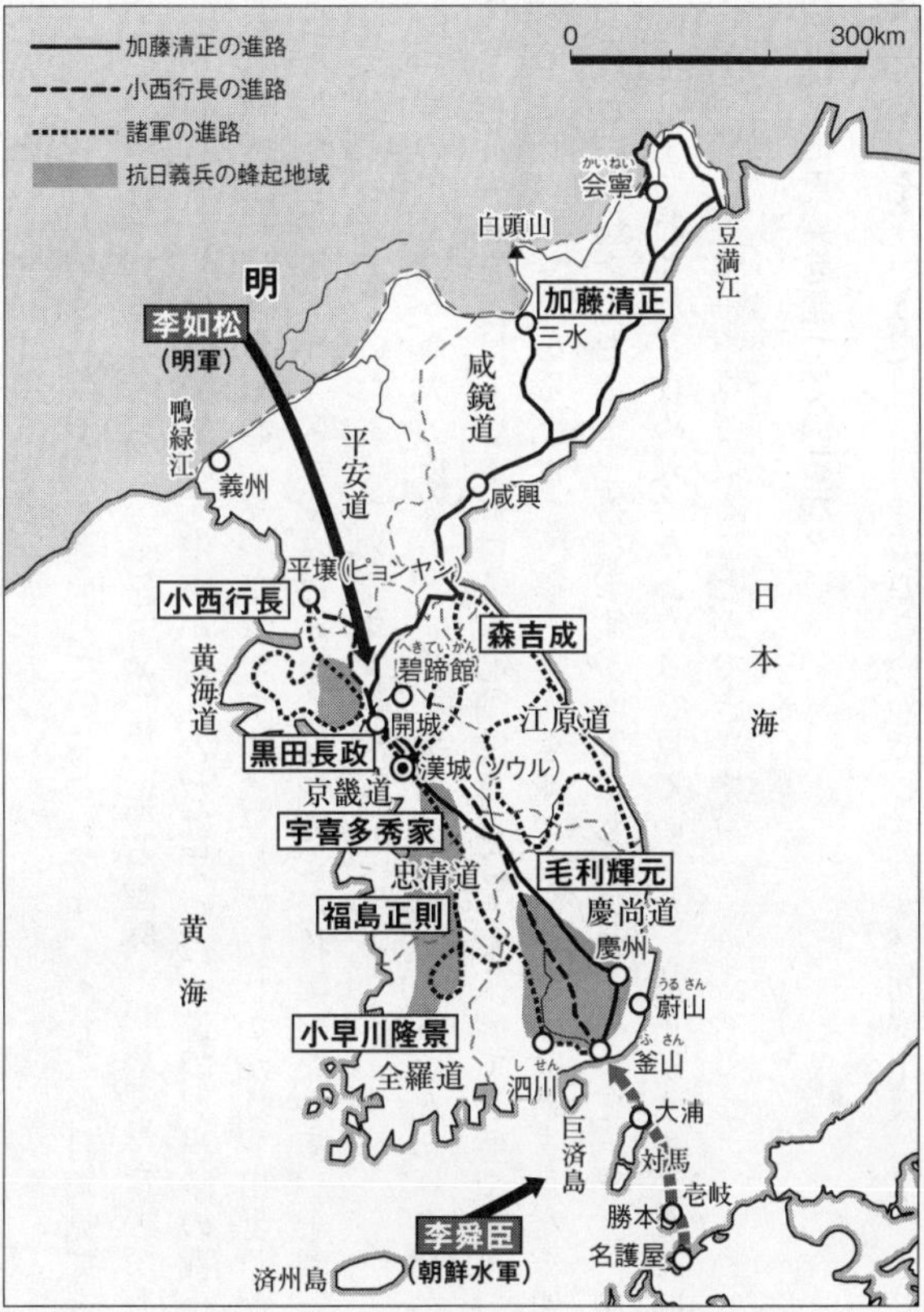

資料:『詳説日本史図録（第2版）』（山川出版社）

石になることは夢ではありません。

現に豊臣秀吉という男はそれを達成しているわけです。それを傍目で見てきた武士たちが、それでは自分たちも、と思うのは、ある意味、当然ではないでしょうか。ですから、真相は歴史学の先生方が言うのとはまったく逆で、当時の武士たちはみな、朝鮮出兵にやる気満々だったはずです。平和になりかかり、出世したり所領を増やしたりするチャンスがだんだんなくなってきた状況のなかで、千載一遇のチャンス到来と考えていたと思うのです。

一国一城の主《あるじ》となった大名になると、少々事情は違ってくるかもしれません。彼らはある程度栄達を遂げているわけで、心情的には守りに入って当然です。でも、大名の中にだってさらなる出世や所領の獲得を願っていたものはいました。加藤清正などは戦いの場を得たことを喜び、すっかりはしゃいでしまっています。中満国境の兀良哈《オランカイ》までわざわざ攻め入ったあたりを見ていると、清正がすっかり舞い上がってしまっている様子を見て取ることができます。

●史料は常に真実を語っているか？

では、なぜそういう史料は残っていないのでしょうか。朝鮮出兵にすっかり乗り気の「イケイケ」な史料は残っておらず、こんな戦争は嫌だなとか、負けるに決まっていると記した史料や、こんな悲惨なことばっかりあったというネガティブな内容の史料しか残っていないのはなぜなのでしょうか。

ここで〝常識〟に立ち返り、当時、出兵を積極的に支持する内容の文書を書いた人は、それをどうするかということを考えてみてほしいと思います。たとえばある武将が日記に、「この戦争に勝ったら俺は北京で百万石をもらうのだ」ということを書いたとします。それが上手くいけば何も問題はありません。しかしもし失敗したら、そんな日記を後世に残したら恥ではないでしょうか。当然焼き捨てるか、書き替えるでしょう。あるいは、友達にそういう内容の手紙を出してしまっていたならば、「あの手紙を捨ててくれよ」と頼むことになるかもしれません。

今だったら、もちろんそうは上手くいきません。マスコミというものがあり、印刷という方法があるわけですから。たとえば、日米開戦前後の昭和十五年（一九四〇）、十六年あたりにアメリカなど倒してしまえ、というような景気のいいことを言った人の史料は、それがもし新聞記事になっていたりすれば、それを本人が消すわけにはいかないから残ってしまいます。あるいは、ラジオの番組での発言だとすれば、録音盤などのかたちで残っているケースもないわけではありません。ところが、昔は本人自筆の書簡とか、同時代人の証言といった一次史料しかないわけですから、消してしまおうと思えば全部消せるのです。

それに、人間社会では何か物事が失敗すると、必ずこう言う人が出てきます。「俺は最初から上手くいくとは思ってなかった」「本当は反対だったのだけど、みなが賛成しているので黙っていたのだ」と。それはある意味では生き方の知恵のようなものかもしれません。よく思い返してみれば、あなたの人生でもそういう人は必ずいたはずです。これまでの人生の中で、そういう人間に一人や二人、誰でもめぐり会ったことがあるはずです。

秀吉の朝鮮出兵に話を戻せば、現存の史料とは、そういう人間の書いたものしか残っていないということだと思います。もっと正確に言えば、本当に百人に一人か千人に一人ぐらい、この戦争はダメだと思っていた人がいるかもしれません。そういう人の史料がもし残り、のちに明らかになれば、その人の見通しは確かだった、素晴らしかったという評価を得て、後世に名を残すでしょう。そしてそれ以外の時流にのってしまった「イケイケ」の史料は全部消されてしまい、その代わり、それを書き替えた史料、あるいはあとで書かれた、「この戦争は、俺は当初から上手くいくとは思ってなかった」というような史料だけが残ります。それが人間社会の

〝常識〟だと思います。

また、太平洋戦争の話になりますが、戦時中、いわゆる文学者たちがいかに戦意高揚を意図した戦争賛美の発言をしていたかは、大日本文学報国会などの研究ですでに明らかにされています。なぜ明らかになったかといえば、彼らの活動が本になったり新聞に載ったりしているからであって、戦国時代にはそのようなものはありませんでした。それを計算に入れてみれば、同時代の誰もが朝鮮出兵に反対していた、消極的だったなどという証言（史料）をそのまま信用するわけにはいかないということは分かるはずなのです。

史料は、真実のある一面を伝えてくれますが、それはあくまでも「一面」にすぎないということを忘れてはならないのです。ですから真相は、ほとんどの人間が時流にのって朝鮮出兵に乗り気だったが、結果として出兵は失敗したから、誰もが「あれにはみんな反対だったのだ」と言い出したということだと思います。

●家康は無視されていた

朝鮮出兵に関して、よく知られていることですが、徳川家康は参加していません。九州の名護屋《なごや》城までは出陣しましたが、朝鮮には渡っていないのです。江戸時代には、家康が参加しなかったことをもって、「家康公は賢明であった」ということになっています。しかし、これもよく考えてみれば分かるのですが、実は家康が賢明であったわけではありません。真相を言えば、家康は参加させてもらえなかったのだと、私は思っています。

秀吉自身が残した、まさに「イケイケ」状態の史料というのが前田家で文書に残っています。前田尊経閣文庫《まえだそんけいかくぶんこ》所蔵の『古蹟文徴』という史料集に載っている文書で、朝鮮への出陣にあたり、秀吉が養子の関白秀次《ひでつぐ》に宛てた二十五箇条の覚書です。そこには朝鮮への派兵から明国征服へと広がる秀吉の世界戦略を示す具体的なプランが示されています。

それは、「秀吉自らが渡海して明を征服し北京に都を移す、そして二年後には後《ご》陽成《ようぜい》天皇の北京への行幸を実現し、北京周辺の十カ国を天皇に進上する、秀次を明国の関白とし、周辺の百カ国を与え、秀吉の義理の甥である羽柴秀保《はしばひでやす》か宇喜多秀家《うきたひでいえ》を日本の関白とする、さらに日本の天皇には皇太子の政仁《ことひと》親王（のちの後水尾《ごみずのお》天皇）か天皇の弟の智仁《としひと》親王をあてる」という、壮大な計画でした。

ここで語られているのは豊臣家と天皇家の「身内」の話だけで、秀吉を別にすれば国内最大の実力者である家康の存在は、まったく度外視されていて、勘定に入っていないことが分かります。

こうしたプランについて、秀吉の「妄想」に過ぎなかったと多くの歴史学者はみなしていますが、これまで述べてきたように、当事者の意識というものは全然違います。人間は、何事も成功すると思うから実行するのです。あなただってそうでしょう？　秀吉は朝鮮や明国の征服という未曾有の大事業が成功すると思っていたのです。成功した結果、どういうことになるかと、大真面目に考えていたのだと思います。

ちなみに朝鮮出兵の段階で、日本国内の大名の勢力分布を見てみると、豊臣秀吉がだいたい日本全国で五百万石程度の収入があったと言われています。ちなみに全国すべての石高を足すと約一千八百万石で、そのうちの五百万石が秀吉の直轄《ちよつかつ》領ということです。江戸時代の徳川将軍家の直轄領である天領の石高は約四百万石。御三家や旗本の所領を合わせて約八百万石と言われています。

もちろん、秀吉はこの他に貿易の収益もあったでしょうし、金山・銀山を持っていたので、実収は五百万石よりは多いとは思います。

第二位は誰かというと、家康なのです。二百五十万石。その次は前田利家で百万石弱ということになります。豊臣家が圧倒的に大きな力を、経済的にも持っていたことは疑いない事実ですが、その力は、秀吉という一代にして天下を握ったカリスマ指導者の存在があって、はじめて保障されるものです。自分が死んだらどうなるか、秀吉がそう考えて不安を感じることはあったと思います。

そうした状況で、仮に朝鮮出兵の結果、国外に膨大な領土を獲得したらどうなるかというと、加藤清正とか、小西行長《こにしゆきなが》、石田三成という秀吉子飼いの武将たちを、全員百万石以上の大勢力にすることができます。家康を朝鮮出兵に参加させなければ、そのまま所領を増やす必要はありません。となると、二百五十万石でダントツの「ナンバー2」だった家康が、朝鮮・明国への外征が成功した段階では、何人もいる百万石クラスの大名の一人に転落するわけです。これが、家康を朝鮮出兵に参加させなかった、秀吉の真のねらいだったと思います。

したがって、家康が朝鮮出兵に参加しなかった真相は、家康が賢明にも行かなかったのではなく、それは江戸時代に創作されたお話であって、実際には仲間に入れてもらえなかったのだと考えるほうが、はるかに自然だと思うのです。家康は「仲間はずれにされた」ということです。それがあとから見ると、朝鮮出兵は失敗に終わったわけですので、参加しなかった家康が賢明だったという話にいつの間にかすりかえられてしまいました。

しかし、もし外征が成功していたら、たとえ秀吉が死んでも秀吉直属・子飼いの武将が確実に大きな実力を持つようになります。そうなれば、たとえ家康でも秀吉没後の政局を思うがままにするなどということは、できたはずはありません。秀吉は、決して妄想に突き動かされ、朝鮮に出兵したのではなく、たまたま、家康に出兵を免除したのでもありません。朝鮮出兵が成功するという前提で、秀吉はことを運んだのです。

要するに失敗したというのは結果であって、当事者は成功するという前提で考えていました。秀吉もそうですし、諸大名もそうです。あなたもそうでしょう？　その前提をもとに歴史を見ないといけないはずなのに、歴史学の先生はあとからの結果論でつくられた史料ばかり見て、その額面どおりに歴史を見るから見誤るのです。

●史料には「偏向」がある

これは、古文書を読めるとか読めないとか、詳しく年号を知っているか知っていないかといった知識や能力以前の〝常識〟の問題です。史料絶対主義にとらわれてしまった歴史学の先生は、こうした〝常識〟を視界に入れることができないのです。我々が現在見ることのできる史料は、歴史的な事実を語る膨大な情報の中のごく一部にすぎません。

そして、膨大な情報のうち何が残って何が残らなかったかという残存状況には、各時代のさまざまな状況や制約に基づく「偏向」が影を落としています。その「偏向」を意識したうえで史料と向き合いつつ、史料の語る情報に自ら微妙な修正を加えながら読み取らなくては、文字の羅列の奥に隠された「事情」すなわち「真実」を明らかにすることはできないのです。

第十二章

徳川綱吉は本当にバカ殿か

▼表面的なあり方にとらわれている歴史学

「あなたは、人間の意識革命をするためには、『劇薬』が必要なことを知っていますか？」

●常識からはずれた綱吉の悪評

江戸幕府の徳川将軍は十五人いますが、当然、よく名の知られた人とそうでない人がいます。初代の家康、五代目の綱吉《つなよし》、八代目の吉宗《よしむね》、そして十五代最後の将軍慶喜《よしのぶ》あたりが、なかでもその事跡も含めて、人口に膾炙《かいしゃ》した将軍といえるでしょう。

おおむね「名君」、あるいはとても優秀な殿様としてプラスの評価を受けていますが、ただ一人、綱吉だけはそうではありません。「犬公方《いぬくぼう》」という渾名《あだな》はみなさんご存じでしょう。生類憐《しょうるいあわれ》みの令という前代未聞の法律をつくり、庶民を苦しめた暗君、あるいは政治家としてまったく無能な「バカ殿」というイメージが硬く硬く、こびりついています。

試みに、日本で一番高く評価されている『国史大辞典』（吉川弘文館）の綱吉の記述を見てみます（ルビは、小社編集部による）。

細かな事跡紹介は省きますが、簡単に言えば、綱吉政治の前半期については、それなりに高い評価を与えていますが、後半期の政治については次のように記しています。

——側用人《そばようにん》牧野成貞《まきのなりさだ》や柳沢吉保《やなぎさわよしやす》を寵用し、奢侈《しゃし》生活に耽《ふけ》り、当時から評判が悪く、弊政《へいせい》と評価されることが多い。

さらに、生類憐みの令に絡《から》んで、以下のようにも記しています。

悪法として知られる生類憐みの令も（中略）元禄期以降頻発の度を加え、人々を著しく苦しめるに至った。また（中略）神社仏閣をつぎつぎに建立《こんりゅう》し、傾きつつあった幕府財政を一層悪化させたが、勘定奉行荻原重秀《おぎわらしげひで》の進言によって貨幣改鋳《かいちゅう》を行い、急をしのいだ。

もう一つ、これは中学校から大学まで、歴史を教わる際にもっとも利用されていると思われるコンパクトな辞典、角川版『日本史辞典』にもあたってみましょう。徳川綱吉の生涯をざっとたどったうえで、次のようにその治世をまとめています。

——実権を側用人柳沢吉保にゆだね、また勘定奉行荻原重秀の進言により、財政窮乏打開策として年貢加重、悪貨乱発を行ない、奢侈生活をして元禄《げんろく》文化を出現したが、生類憐みの令をしくなど弊政が多かった。

大雑把《おおざっぱ》に言えば、綱吉は贅沢三昧《ざんまい》な生活をして、柳沢吉保や荻原重秀といった「茶坊主」のような側近の言いなりになって政治を顧みなかった。しかも生類憐みの令という悪法を発して庶民を苦しめた将軍、ということになります。

要するに「バカ殿」「バカ将軍」ということです。

これもまた、現代の歴史学がいかに常識からずれてしまい、生身の人間やその社会の等身大の姿が見えなくなっているかを象徴するような、ピント外れな歴史理解に基づく記述だと思います。

確かに、同時代の人々の間では、綱吉やその政治に対する悪評は少なくありません。生類憐みの令も、次の将軍家宣《いえのぶ》の就任後には廃されてしまい、そんな悪法はもともとなかったかのように扱われています。

しかし、現代の政治やその報道を見れば分かるように、そもそも時の政治を褒め称えたり、時の権力者を名君だと褒めそやすことのほうが圧倒的に少ないのです。本来、庶民というのは勝手なもので、時の権力者に対しては、許される範囲で文句を言いますが、あとで振り返ってみると、なかなかいい政治だったのではないか、ということも少なくないのです。

それなのに、綱吉政治をけなす史料があるということを「動かぬ証拠」として、「だから綱吉の政治は悪政で、綱吉はバカ殿だった」と言うのは、無責任に権力批判だけを繰り返す一部のマスコミとなんら変わらない、無節操な態度と言わざるを得ません。

よう。

●一億、ゴルゴ13の時代

このように「徳川綱吉というのはバカ殿だ」というのが、いまだに歴史学界や教科書、辞典などのうえでは定説・常識になっていることがお分かりいただけるでしょう。

でも、それは明らかな間違いです。何がどう違うのかということなのですが、まず「悪政」の最たるものとされている「生類憐みの令」とは、どういう背景に出された法律であるのかを考えてみる必要があります。

綱吉の時代、すなわち元禄と呼ばれる時代は、泰平の時代でした。しかし、それに先立つ戦国時代は――正確に言えば、戦国時代のあとには信長・秀吉の安土桃山時代があるわけですが――いずれにせよ、まだ合戦がある時代、武士が戦場で戦うということにリアリティがあった時代でした。

こうした時代は、一言で言えば大変殺伐とした時代であって、私は「一億、ゴルゴ13の時代」と言っています。もちろん、当時の人口は一億人もいませんが。

たとえば有名な小説で司馬遼太郎の『功名が辻』という作品があります。尾張《おわり》（現在の愛知県西部）の小土豪からスタートして、信長・秀吉・家康という三大英雄に次々と仕え、土佐二十万石の大大名となった山内一豊《やまうちかずとよ》の物語です。

　この作品で大きな役割を果たすのが、一豊の妻千代という女性で、千代が「功名を立てろ」、つまり手柄を立てなさいと、旦那の尻を叩く。手柄を立てるとはどういうことかというと、戦場で敵の首を取ってくること、もっと端的に言えば、敵をいかに殺してくるかということなのです。

　つまりそれが戦国時代の一番大切な人生の目的なわけです。それをしないと出世しないという殺伐した時代なのです。逆に言えば、敵将の首を取れば、一国一城の主《あるじ》になれるという人生の目標にもなります。それが今風に言うと時代の「パラダイム」であって、人間の基本的な意識でもあり、人を殺すことが生きがいでもあるし、人生の目標でもあったのです。

　ところが、そういう時代＝戦争の時代は、元和《げんな》元年（一六一五）に徳川家康が大坂夏の陣で豊臣家を完全に滅ぼすことで一応は終わりましたが、それは現象と

徳川綱吉（奈良・長谷寺蔵）

して終わっただけであって、人間の意識というのはそう簡単に変わるものではないのです。

つまり人を殺すのが当たり前の世の中というのは、人命軽視がはなはだしい世界であって、人を殺すのが当たり前なのですから、たとえば病気の人間を見捨てたり、動物を殺すなどということは当たり前です。そんなこと、誰も悪いことだと思っていないわけです。

一つ例を挙げると、名君として非常に名高い水戸黄門こと、徳川光圀《みつくに》がいます。その光圀が若い頃、実はホームレスの人斬りゲーム——当時の言葉で言えば辻斬り——をやっていたという、まことに殺伐とした話があります。これは噂話の類ではなく、実際、彼自身がそれを告白しています。悪友に誘われて、浅草の観音堂の下にいる、今で言うところのホームレスを遊びで斬りに行こうじゃないかということになったといいます。光圀はその時、いったんはためらうのですが、その友人に、「それでは、お前は臆病者だな」と言われたために、仕方なく参加してしまいます。要するに、人を斬るのが怖いと言った段階で、もう武士として失格とのレッテルを貼られてしまうわけです。

相手がどんなに身分が低く、いきなり斬るとはあまりにもかわいそうな人であっても、武士の失格者としての汚名を着るよりは、斬ったほうがいい。それが、戦国時代から江戸初期まで続く時代のパラダイムであり、武士の意識なのです。

●江戸後期の武士は官僚化していた

ところが江戸時代後半になりますと、かなり事情は変わってきます。たとえばこれはフィクションのなかの話ですが、池波正太郎の小説『鬼平犯科帳』のセリフに「なまくら武士」が非常に多くなったというのがあります。

幕末に至っては、さらに武士の実態は変質しています。たとえばこれも有名な話ですが、幕末最後の外国奉行となった川路聖謨《かわじとしあきら》という御家人《ごけにん》出身の人物がいます。御家人というのは旗本以下であって叩き上げですが、川路は勘定吟味役《かんじょうぎんみやく》となり、佐渡奉行や奈良奉行、大坂町奉行を歴任して、文久《ぶんきゅう》三年（一八六三）に、最後の外国奉行になったという出世頭みたいな人です。

そういう人が勘定吟味役という、超エリートの役職に抜擢《ばってき》された時に、まず何をしたかというと、剣術を習いに行こうとしました。つまり自分は武士であるにもかかわらず、これまで刀の使い方もろくに知らなかったので、剣術を習いに行こうとしたというのですが、興味深いのは、そのとき同僚に止められたというのです。その同僚の言い分というのは、「あなたは勘定吟味役だから、算盤《そろばん》でご奉公している。もし剣術で手に怪我をして算盤を使えなくなったらご奉公に支障をきたすことになる。だからそんなバカなことはやめなさい」とのことでした。

これは彼が日記に書いていることで、つまり江戸時代後期になると、武士はもう完全に官僚化していて、武器を使うことすら官僚的役職に支障をきたすからダメだということになっているわけです。

戦国時代の余韻が残る水戸黄門の時代では、武士が人を斬ることはある意味、普通のことでした。ところがそれから二百年近くたつと、人を斬るどころか、武士が刀を使うことすらおかしいという時代になっているわけです。この間に何があったのでしょうか。劇的な大変換があったに違いありません。二百年も時がたてば自然に人間の気質や時代の雰囲気は変わるという人もいると思いますが、そんな簡単なものではありません。人間の意識というのは、ほっておいたら、意外にいつまでたっても変わらないものです。

江戸時代初期を見ますと、たとえば荒木又右衛門《またえもん》の仇討ち（鍵屋の辻の仇討ち）という事件がありました。大和郡山《やまとこおりやま》藩の剣術師範役の荒木又右衛門らが、又右衛門の義理の弟で岡山藩士の渡辺源太夫《げんだゆう》を殺した源太夫の同僚、河合又五郎を伊賀上野の鍵屋の辻で殺害し、仇を討ったという事件で、数多くの芝居や講談、映画などのモチーフになっています。

源太夫を殺害した又五郎は、岡山藩を出奔《しゅっぽん》して江戸に逃れ、旗本の安藤家にかくまわれていました。これを知った岡山藩主の池田忠雄《ただかつ》は、又五郎の身柄引き渡しを求めたのですが、これを拒絶され、事件はこじれていきます。その背景には徳川直参《じきさん》の誇りを鼻にかける旗本と外様《とざま》大名との対立という構図があったとされています。

大名と旗本とでは、本来石高も違うし、勝負にはならないのですが、それでも当時の旗本には大名相手に一歩も引かないという荒々しい気概があったということです。

寛永《かんえい》年間（一六二四～一六四四）ごろの江戸の町には、「旗本奴《はたもとやっこ》」や「町奴」と呼ばれる、かぶきもの、つまり自由きままで暴力的な生活を好む荒くれどもが闊歩《かっぽ》していました。その代表的な存在が、町奴の幡随院《ばんずいいん》長兵衛《ちょうべえ》と、これと対立してついに長兵衛を殺害した旗本奴の水野十郎左衛門《じゅうろうざえもん》です。彼らは、まさに戦国の遺風を色濃く残した乱暴ものであり、同時に自らの男伊達《だて》、すなわち武士としてのダンディズムを誇示して競い合うもの同士で、のちの侠客《きょうかく》の元祖と言われています。

彼らは、『鬼平犯科帳』に言うところの「なまくら武士」から見たら、まったくとんでもない存在でしょう。江戸時代前期という時代は、武士や武士くずれのような荒くれものが刀を抜いて盛んに斬り合いをしているというのが現実だったわけです。

「斬り捨て御免」という言葉も江戸時代後期にはまったく影を潜《ひそ》めるのですが、この時代には実際にあったことなのです。その斬り捨て御免、武士は侮辱されたらとにかく相手を叩き斬らなきゃいけない、人を斬ることを恐れてはいけないというような時代の武士の意識が、なぜ変わったのでしょうか。何をきっかけに、かくも変わってしまったのでしょうか。

その疑問を解く鍵が、綱吉の発した生類憐みの令なのです。

●誰が「生命尊重」を常識としたか

私はよく、生類憐みの令というのは「劇薬」だったと表現しています。法律としては、一言で言えばむちゃくちゃな法律です。人間どころか動物を殺しても死刑になることがあったというのですから、実際のところ、非常に問題の多い法律だったはずです。

しかし、実はその法律の陰に隠れているのは「生命の尊重」という基本思想でした。そして、蚊一匹殺しても下手をすると遠島《えんとう》になるというような、そういうむちゃくちゃな法律を施行したことによって、日本人の意識は劇的に変わっていったのです。

「人を殺すなんてとんでもない」という風潮ができたのは、この法律ができたあとのことです。人を殺すのはとんでもない悪事であるという意識の中に、われわれ現代人は生きています。我々の日常的な倫理の中に、そうした意識は深く根を下ろしています。ところが戦国時代は、人を殺すことが功名だという意識をもって、世の中は動いていました。

日本人の意識の大転換が起こったのは、実は綱吉の時代なのです。

だから私に言わせれば、綱吉は相当な名君なのです。

有名なシェークスピアの書いた悲劇『ジュリアス・シーザー』に出てくるセリフに「人が死ぬや善事は墓とともに葬られ、悪事は千載の後まで名を残す」というのがあります。綱吉の例は、まさにそういうことだろうと思うのです。生類憐みの令というのは、確かに非常に劇薬的な法律であって、薬効は明らかでしたが、副作用も大きく、多くの人がつまらない罪で死刑になったというマイナス面があります。

にもかかわらず、それがあったからこそ日本人の意識は劇的に変わって、生命尊重の社会というのができるようになりました。しかし結果として、シェークスピアの言う「悪事」のみが後世に名を残し、善事は忘れ去られてしまったというわけです。

現代を生きるわれわれがいま、生命尊重が当たり前だと思っているのは、さかのぼれば綱吉のおかげです。そういうことを歴史学者は全然分かっていないのです。

当時の人は実際にどう感じていたかというと、今まで極端に言えば人を殺すことは「善」だったのに、蚊一匹殺しただけで遠島ということが実際にあったわけで、彼らが綱吉の悪口を言うのは当たり前なのです。「こんなバカ殿、とんでもない悪だ」と。同時代の人から見ればそうだとしても、長いスパンで見れば、その成し遂げた功績は大変立派なことなんだと評価せざるを得ません。歴史とは本来、そういう見方をしなければならないものなはずでしょう。

江戸時代になると学問が盛んになって、五代将軍の時代ともなると、たとえば儒教的な道徳とか寺子屋での教育がけっこう普及してきます。それでもやっぱり殺伐とした世の中というのは収まっていないわけです。

そうした人間の意識を完全に変えるということがいかに難しいか。だから綱吉は、大人物だということが言えるのです。

●政治システムのパラダイムシフト

もう一つ重要なことがあります。江戸時代の将軍といっても、なにしろ十五人もいるわけで、その位置づけや性格も時代によって違い、一様ではありません。徳川家康は絶対君主でしたが、二代将軍秀忠《ひでただ》の時代には、もうすでに将軍はある意味でお飾り的な存在になっています。

徳川家康は非常に歴史が分かっていた人で、自分は絶対的な君主だけれども、足利義満しかり織田信長しかり、日本史の例を見ると日本人は絶対的な権力者を嫌うので、今の体制では長続きしないことを理解していました。だから、わざわざ息子の中からある意味でいちばん無能な秀忠を後継者に選んだのだと思います。

秀忠はなんといっても、天下分け目の関ヶ原の合戦のとき、上田城を守る真田昌幸《さなだまさゆき》・幸村《ゆきむら》父子に行く手を阻《はば》まれて合戦に遅刻するという大失態をやらかした人物です。もし家康率いる東軍が負けていたら、いったいどうなっていたか。もともと上田城はわざわざ攻め落とす必要もない城で、城攻めの軍勢を残してさっさと関ヶ原に向かっていればよかったのです。

秀忠はそういった軍事的判断も全然ダメな人間でしたが、親の言うことはよく聞くという、それが唯一の取り得のような律儀な男でした。そういう律儀者を次期将軍に指名し、政権のトップに持ってきます。そして、実際の政策決定は老中《ろうじゅう》の合議制にして、合議によって決まったことは、原則、将軍は裁可しなければいけないというシステムを作り上げました。

これは今の日本の官僚制度とよく似ています。官僚が事務次官会議で認めたことは自動的に閣議が了承するという、本来決定権を持っているのは閣議のほうのはずなのに、下が決めたことを了承するかたちになっているのです。実は日本人というのは、平時はこのシステムがいちばん落ち着くのです。それは話し合い絶対主義だからでもあります。

しかし、合議制の支配というのは非常に打破するのが難しくもあります。だから、徳川幕府も将軍の代が重なるごとに、強固な老中合議制の上に将軍権力が乗っかっているというスタイルが固まってきます。特に四代将軍家綱《いえつな》などは、子供の頃に将軍になったこともあって老中合議制の、がっしりした仕組みの上に乗ったお飾りのような存在になっています。

ところが、五代将軍綱吉というのは自分のやりたい政治、理想とする政策に積極

徳川将軍の政策決定

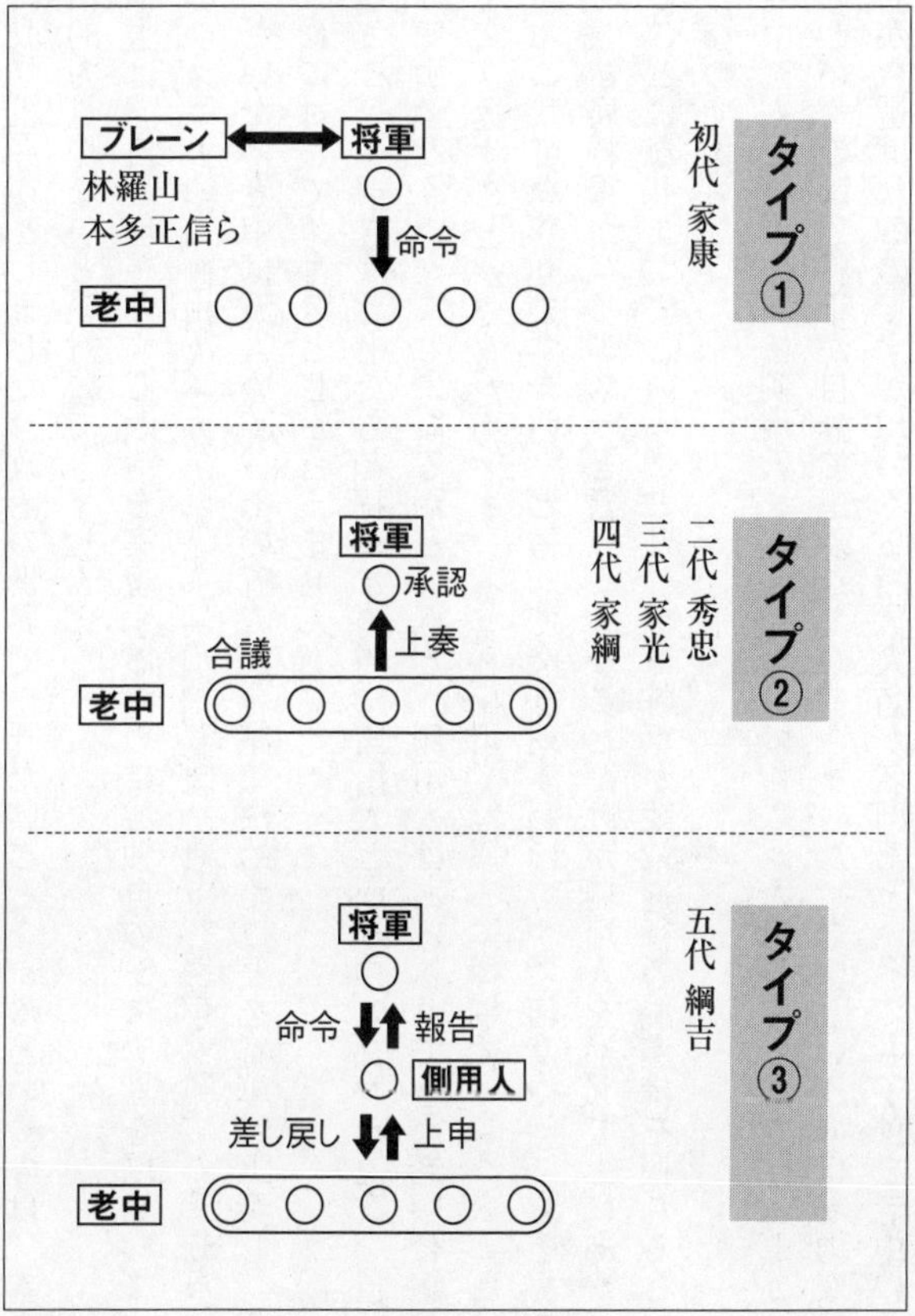

資料:『逆説の日本史 14』(小学館)

的に取り組もうとしました。政治の世界でやりたいことをやるというのは、本人に政治的力量がないと絶対にできません。

綱吉は、自ら理想とする政治を実現するために、独自のシステムを開発します。そのシステムが「側用人《そばようにん》」なのです。家綱の時代までの政治システムを振り返ると、だいたい老中は五人いて、その五人が合議で決めたことを将軍に上奏し、将軍はそれに対してイエスとしか言えません。

ところが、綱吉は老中たちと将軍との間に側用人というワンクッションを置いたわけです。どういうことになるかというと、側用人はあげられてきた老中合議の結果を突き返すことができたのです。つまり側用人は、「上様はそのようなことは、たぶんご裁可なさりますまい」と言って突き返すわけです。何度やってもそうなるので、結局将軍が「イエス」と言うようなことだけが側用人を通して上にあがってくることになります。ということは、実は将軍が政策遂行の主導権を握れるということなのです。

老中五人と将軍の間に側用人を挟んだだけで、これだけ違うわけです。しかも側用人というのは、将軍が自分で選ぶことができました。老中というのは有力な譜代《ふだい》大名から選ばれるのですが、いくら譜代大名が名門だといっても子供を老中にするわけにはいきません。そう考えると、老中に選ばれる可能性のある人物というのは、かなり限られてきます。

広く人材を求めるのと逆に、限られた大名の中から選ぶとなると、どのような結果が予想できるでしょうか。簡単に言いますと、バカ大名である可能性が非常に高いということになります。

ところが、側用人というのは将軍の裁量で選べるのですから、わざわざバカ大名を選ぶようなことはしません。綱吉が創設した側用人で最も有名なのは柳沢吉保ですが、これはもともと綱吉が将軍になる前、上野《こうずけ》の館林《たてばやし》藩の藩主だった当時からの側近でした。

つまり側用人というのは、実は大変優れたシステムで、綱吉は、家康以来の老中合議制のシステムを将軍が自由に物事を裁量できるように変革してしまったのです。

ですから、そののちの将軍を見ていくと、自分の政治をやりたかった将軍というのは側用人を重用しています。たとえば八代将軍吉宗がいます。吉宗は名君と言われていますが、吉宗と綱吉の共通点は、自分の思い通りの政治をやったということです。老中合議制では思い通りの政治はできないのです。老中合議制というのは、あらゆる事案をそれまでの慣例に基づいて裁断するというかたちをとるので、前例のないことはできません。

前例のないことをするためには、たとえば「生類憐みの令」とか、吉宗の「足高《たしだか》の制」とか、そういう革新的な政策を断行するためには、将軍親裁をしなければならないので、側用人はどうしても必要になってきます。

ちなみに足高の制とは、吉宗が優秀な人材を抜擢するために作った、やはり革新的な制度です。江戸時代、幕府の各役職には、その役職に見合った禄高の基準がありました。つまり、若年寄《わかどしより》には若年寄に相応《ふさわ》しいと設定された石高以上の大名しかなれませんでした。ところがそれ以下の石高の大名にも優れた人材はいるわけで、吉宗はそうした大名を抜擢するため、ある役職に在職中だけ、足りない分の石高を増給するという制度を編み出したのです。それが足高の制です。

吉宗も側用人を使いましたが、その時代には「側用取次」という言葉を使っています。もちろん中身は側用人と同じです。ですから側用人というシステムを開発した綱吉という将軍は、実は家康に匹敵する政治の天才だったということが言えると、私は思います。どうして学者さんはそこに気づかないのか、不思議でなりません。

独裁的権力というのは、権力者がわがままな人間だったら誰でもできると思われているかもしれませんが、実はそうではありません。権力を自分の思い通りに動かすというのは、それなりの仕組みがいるのです。その仕組みというのを変えていったのが綱吉なのです。

家康以来のシステムというのは、将軍独裁ができないようになっていました。逆に言えば将軍はバカでもいいということにもなります。現に四代将軍家綱というのは子供だったけれども支障なく徳川幕府というのは動いていました。綱吉はそれを大きく変えました。だからこれは冗談でもなんでもなく、「綱吉は名君です」ということです。

●明治維新に匹敵する大事業

日本人の意識を変えたということは大変なことです。これは日本史上、はたして何人いるかというぐらいの大事業です。これに匹敵する大転換と言えば、明治維新ぐらいではないでしょうか。

明治維新によって、四民平等の世の中になりました。それまで、たとえば政治はお上に任せておけばいいので、町人は政治に参加することはできませんでしたが、逆に徴兵や納税の義務もありませんでした。国家のことに関わってはいけないというのが、原則だったのです。

ところが、四民は平等になったわけですから、普通選挙法によって参政権がくまなく付与されるのはもう少し先のことになりますが、すべての人々は日本の国民――当時は「臣民」と言いましたが――ということになって、すべて平等であり、平等に国家のことに関わらなければならなくなりました。

つまり、明治維新が成し遂げた意識の変革とは、一言で言えば「国民の誕生」ということになるでしょう。

私はそれに匹敵するぐらいの意識の大改革を、綱吉という将軍は成し遂げたと考えています。「犬公方」という言葉に象徴される同時代の悪評や、側近を重用したというような表面的なあり方に眼を奪われて、こうした本質的な問題――綱吉の本当の功績に眼を背けているのが、現在の歴史学なのです。

もちろん、たとえば二十年前の状況にくらべると、綱吉の政治を見直す動きは現在の歴史学のなかにも見られます。研究者のなかには、綱吉は理想主義の政治家で教養もあったと評価する向きも出てきています。

しかし、歴史の大きな転換点を作ったという、綱吉の真価を見通すまでには至っていません。だからこそ、冒頭に述べたような辞典や教科書の記述では、いまだに「綱吉はバカ殿」という印象を拭い去ることができないのです。

第十三章

徳川吉宗は本当に名君か

▼経済から考えるまったく異なる人物評価

「あなたは、民間がお金をたくさん使うことで、国が豊かになるのを知っていますか？」

●すべては「米の計算」

徳川綱吉《つなよし》の評価が大きな問題をはらんでいること、もっと言えば、彼が「暗君」や「バカ殿」だとする評価は明らかな誤りであることについてご紹介しましたが、八代将軍徳川吉宗《よしむね》についても、見過ごすわけにはいきません。

この吉宗は、まさに名君中の名君と言われている人物で、綱吉や次章の田沼とはまったく逆の評価が一般的です。なにしろ、「暴れん坊将軍」として、その名君像が日々再生産され続けた人でもありますし、歴史学の世界においても、「幕府中興

徳川吉宗（徳川記念財団蔵）

の祖」というイメージは、そのまま受け入れられています。

しかし、この吉宗は本当に名君だったのでしょうか。実は吉宗に関しては、江戸時代からすでに「名君」というとらえられ方がされていました。しかし、どうもこうした評価は、幕府による自己宣伝の匂いがします。

当の吉宗本人は、神君家康公にならうことをモットーにしており、なにかというと家康を持ち出し、その遺徳や遺訓を褒め称え、自分は家康を見習って政治をするのだということを言っています。つまり、家康を持ち上げることで、その子孫であり遺徳を継承する自分もまた、名君であるということをアピールしようとしたのです。

そう考えると、吉宗＝名君というイメージも、吉宗本人や幕府によって半ば創作されたイメージであることはご理解いただけるでしょう。

もちろん、無能な人物だったわけではありませんし、政治を人任せにしてほったらかしにするような無責任な将軍でもありません。実際の政治を見ると、社会福祉、たとえば小石川養生所をつくったり、あるいはサツマイモの栽培を進めて関東での飢饉《ききん》を防いだりなど、立派なことも確かに手がけてはいます。

しかし、彼がやったことというのは、基本的に「米の計算」なのです。

「ゴマの油と百姓は搾《しぼ》れば搾るほど出る」という有名なセリフがあります。これは十九世紀の頭に活躍した経済思想家の本多利明《ほんだとしあき》が書いた『西域物語《せいいきものがたり》』という書物に引用されている言葉で、勘定奉行を務めた神尾春央《かんおはるひで》という男が語った言葉と言われています。

この人物は、いつの時代の人かご存じでしょうか。ほとんどの方はご存じないでしょう。ちょっと歴史に詳しい人なら、三代将軍家光《いえみつ》の頃に、農民統制のための法律と言われる「慶安《けいあん》の御触書《おふれがき》」が出されたことはご存じかもしれません。この触書には、百姓はお茶を飲んではいけないとか、朝から晩まで働けとか、木綿を身に着けろとか、そういう百姓に対する非常に強圧的な内容が書かれていました。

ですから、この「ゴマの油……」のセリフも、同じ頃の話ではないかと誤解されるかもしれません。ところがそうではなくて、実は神尾という役人は、享保《きようほう》年間（一七一六〜一七三六）に吉宗が抜擢し、勘定奉行まで出世した人物なのです。この神尾は具体的に何をやったかというと、日本国中の天領から、つまり幕府直轄《ちよつかつ》領から年貢をものすごく搾りとりました。当時、勝手《かつて》掛老中《かかりろうじゆう》を務めていた松平乗邑《のりさと》のもとで年貢増徴政策が推進され、神尾はその実務担当として辣腕《らつわん》を振るったのです。

神尾は年貢率を上げ、自ら地方に足を運び、幕府に内緒で開墾していた「隠田《おんでん》」を摘発するなどして、農民からは非常に恨みをかいました。その一方、実はこの神尾の働きによって達成された年貢の収税石高は、江戸時代を通じての最高記録なのです。

年貢が最高額を記録したということは、つまり、彼がいかに農民から搾りとったかということを表しています。だからこそ「ゴマの油と百姓は搾れば搾るほど」というセリフが出てくるわけです。

ということは、この神尾を抜擢して税収の最高額をたたき出した吉宗という人は、幕府の側から見れば財政再建のために尽くしたと言えるのかもしれませんが、年貢を取られる側から見れば、非常に農民を弾圧した人であって、そういう意味からすると、名将軍でもなんでもないということになります。だからこそ吉宗治世の後期には各地で一揆が頻発《ひんぱつ》し、農村が荒廃するなど、幕府の基盤が大きく揺らぐきっかけを作ってしまったのです。

こうした吉宗のやり方――「米の計算」だけで政治・経済を考えようとする政治はもうダメで、限界が近づいていると感じたからこそ、息子の家重《いえしげ》や孫の家治《いえはる》は、なんとか別の財源はないかと考え、田沼に改革を進めさせたのです。つまり、次章で紹介しますが、田沼が貨幣経済と重商主義への転換を目指したのは、こういう流れがあるからです。

●経済オンチの弱点

もう一つ、やっぱり吉宗という人は儒学の徒で、これは孫の松平定信《さだのぶ》もそうなのですが、経済ということが全然分かっていなかったことが挙げられます。吉宗は、財政再建のためと称して、倹約をするようしきりに口にし、実際に大奥を含む幕府の各部署はもちろん、社会全体に質素倹約を求めました。

目安箱（岩村歴史資料館蔵／恵那市教育委員会提供）

中央政府の倹約は、まったく間違いではありません。つまり将軍の着物についても絹はやめて木綿にするとか、大奥の人間を減らす、あるいは食べ物を一汁一菜にするなど、こうした倹約は、無駄な支出を減らし放漫財政を改めるという意味では、間違いではないのです。

これは現在でも同じことです。役人の人数を減らし、既得権益にメスを入れ、行政をスリムにして支出を減らすという方向性は正しい。中央政府と地方政府＝自治体との二重行政をやめて一本化することで、無駄な支出を減らしていくのは、財政再建のためには絶対に必要なことです。

ところがです。この倹約を「民」にま

で求めてしまったら、つまり民間にまで倹約による支出締めつけを求めてしまったら、これは完全な間違いなのです。

吉宗は、身分にとらわれることなく、広く政治への意見を聞くために目安箱を設けましたが、あるとき、山下幸内《こうない》という浪人がこの目安箱に投書しました。その内容を見ると非常に面白いのです。要するに山下幸内は何を言っているかというと、お上が倹約するのは間違っていないけれど、民に倹約しろというのは間違いだというのです。

つまり、ぜいたくを頭ごなしに禁止するだけでは、金銀の流通が停滞して、経済は冷え切ってしまい、市民を救済することにはまったくならない、という意見です。

具体的に説明しますと、たとえば飾り職の職人がいるとします。彼が仕事で髪飾りを作るとき、金銀などの宝飾品をふんだんに使ってこそ、飾り職は成り立つわけで、それを買う人がいるから世の中にお金が回ります。

ところがそうした宝飾品はすべて「ぜいたく」だとして倹約の対象としてしまうとどうなるでしょうか。それこそ祭の神輿《みこし》にも金銀細工を禁止してしまうわけですから、飾り職の職人たちはまず全員、職を失うし、お金が天下に回らなくなります。

要するに民には、節約よりもむしろお金を使わせることを考えたほうがいいのです。それによって経済が活性化され、国民全体が豊かになるという、これはある意味で積極財政と言われるケインズ理論に通じるような考え方なのです。

山下幸内という人物は、吉宗がかつて藩主を務めていた紀州藩の浪人で、「吉宗が紀州藩で行った倹約令を含む諸政策は、天下の大局に適用できるものではない」と、非常に手厳しく吉宗政治を批判しました。まさに幸内の意見は、「享保の改革」の否定でした。

幸内の意見は「山下幸内上書《じょうしょ》」と呼ばれ、幕閣もこの斬新な意見に興味を持ったらしく、三奉行と言われる町奉行・寺社奉行・勘定奉行は、この上書を書写して保存していたといいます。

しかし、あくまでもこの意見は一介の浪人が提案した意見にすぎませんので、天下の舵を動かすほどの影響力は持ちえませんでした。現代でも、たとえば著名な政治学者や経済学者が優れた意見を出したとしても、これを採用するかどうか、実行に移すかどうかは政治家の腹ひとつ、というのが現実です。エコノミストが所轄大臣に任命され、直接政策を実行するということも近年はありますが、これはあくまでも例外と考えていいでしょう。

●尾張宗春と名古屋の繁栄

山下幸内の意見は、政治に直接反映されることはありませんでした。しかし、彼の唱えた積極財政を実際に行った人物がいました。吉宗の宿命のライバルと言われる尾張藩主、徳川宗春《むねはる》がその人です。

吉宗は、将軍家の直系が七代将軍家継《いえつぐ》の死で絶えたために、紀州藩の藩主から八代将軍の座へと抜擢されたわけですが、そもそも、将軍家のスペアとしての役割を期待されていた御三家の中で、最も家格が高く将軍候補者を出すうえで最も優先されると考えられていたのは尾張藩でした。

尾張藩の四代藩主の吉通《よしみち》は、六代将軍の家宣《いえのぶ》が亡くなった際にも、次期将軍候補と目されるような逸材でしたが、家継が亡くなったときにはすでに若くして病死してしまっていました。紀州藩の吉宗は、いわば棚からぼた餅のような形で、八代将軍になったわけです。あまりにも吉宗に都合よくことが運んだために、吉通は紀州藩の手の者によって毒殺されたのではないかとの噂もでたくらいです。

尾張藩七代藩主の宗春は、この吉通の弟に当たります。ですから、将軍吉宗に対してはよくない感情を抱いていたとされています。本来であれば、尾張藩の血統にある自分のほうが将軍にふさわしいはずであるのに、という思いが、吉宗への反発へと結びついたのかもしれません。

しかし、いずれにせよ、この宗春という人物は非常に開明的な考え方を持った人でした。経済政策については吉宗とは逆の考えを持っていた人で、要するに「民がお金を使ってこそ、あるいは民間にお金を落としてこそ、世の中は豊かになる」という発想の持ち主でした。まさに、山下幸内と同じ積極財政です。

吉宗は、経済の面では倹約を強制し、ぜいたくを禁じると同時に、風紀の乱れをただすと称して庶民の生活レベルにまで立ち入り、ぜいたくに通じるような華美な風俗や産業に規制をかけました。たとえば芝居はいかんとか、心中物はもっとダメだとか、金銀の飾り物はいかん、絹織物はいかんといって、規制だらけにしました。

宗春は、こうして吉宗が全部禁止したものを、尾張名古屋ではいっさい禁じることなく、自由な経済活動を保証したのです。その結果、名古屋の町は空前の繁栄を達成することになります。いっとき、民間活力の活用をめざした「規制緩和」がもてはやされましたが、宗春の政治の要諦は、まさにこの規制緩和でした。

名古屋というのは、実は東海道の宿駅ではありませんでした。東海道五十三次には入っていないのです。五十三次のうち、尾張国内の宿場は知多半島の付け根に当たる鳴海《なるみ》宿と、名古屋南方の熱田神宮に近い宮《みや》宿（熱田宿）の二つです。東海道はこの鳴海から宮を経て、名古屋港から船で伊勢の桑名《くわな》宿に行くというルートをたどります。宮宿は二百五十軒近くの旅籠《はたご》屋と一万以上の人口を擁する、東海道最大の宿場町でした。

宮宿より北にある名古屋城下は、東京でいえば霞ヶ関にあたる官庁街で、武家屋敷ばかりですから夜になると誰も人が通らなく、当然宿屋もないし商店もありません。繁華街に行こうと思ったら、宮宿に行くしかありませんでした。

宗春は、その名古屋城下において芝居小屋の建設と興行を推奨し、もちろん遊郭の営業も認めました。それだけでなく、彼自身はどんどんそういう繁華街に出入りし、お金を使ったのです。その行き帰りに今でいうネオンサインのような見事な提灯を店先で見かけると、褒美の金を出したりしたともいいます。すると、殿様にぜひ見てもらおうと、みなが工夫をして、色とりどりの提灯を掲げるようになりました。その結果、その華やかな風景にひかれて人が集まってくるということで名古屋は大繁栄し、現在にいたる日本有数の大都会の基礎が作られるようになったのです。

つまり、宗春という人は経済も、民情もよく分かっていた人で、この人が政権を取っていれば、日本はまったく変わった姿になったと思います。

ところが、この宗春にも欠点がありました。彼自身はおそらく商売を盛んにして、最終的には商人から税金を取ろうと考えていたと思いますが、ついにそこまではいけませんでした。相変わらず農業経済から上がってきた税金を市場経済に落としていただけでした。つまり、農業生産の恵みを都市経済に投入するのみで、都市の商業経済からの富の還元がないのですから、これは外から見るとどうしても浪費ということになります。

財源を確保せずに、財政出動だけを推進するのであれば、せっかくの積極財政も放漫財政ということになってしまいます。結果として尾張藩の財政は破綻してしまいました。そこを吉宗につけ込まれて、結局、宗春は失脚に追い込まれます。

●吉宗と宗春、どちらが名君か？

吉宗という人は、自分の政策にことごとく逆らった宗春を非常に憎んでいて、藩主の座を追われ、隠居の身となった宗春に蟄居を命じ、生涯外出を許可しませんでした。吉宗のほうが先に亡くなるのですが、その後も罪が解かれることはなく、宗春が亡くなったのちも、その墓石に金網が掛けられていました。宗春が名誉を回復し、金網が撤去されたのは、没後七十五年もたってからのことです。

吉宗という人は、とても大らかで爽やかな人間というイメージがあるかもしれませんが、実際にはまったくそうではありません。本当は非常に粘着質で頑迷な人間であるにもかかわらず、自分をいかにも名君らしくみせるために寛容を装っていたのだと思います。

吉宗の政治を批判した先ほどの山下幸内も、「目安箱によくぞ意見を出した」ということで吉宗から褒美をもらっているのですが、結局、彼の建言は何一つ容れられませんでした。俺に対してそこまで言ってきた度胸は認めるということなのでしょうが、それに対して、その意見を聞いて政治を改めるなどということは一切やっていないのです。

その一方で、民間の小川笙船《おがわしようせん》という医師が、「お上の費用でもっと貧乏な病人たちをみてくれるような施設をつくって欲しい」と建言した結果、小石川養生所がつくられたという経緯があります。そういった、為政者が「民に仁を施す」ということにつながる意見は取り入れているのです。

ですから吉宗という人は、福祉や社会保障の点ではそれなりの功績を残したかもしれません。しかし、国や社会の舵取りに関わる経済についてはまったく明るくなく、従来の、それこそ家康の時代の常識から一歩も出ることはできませんでした。すでに社会情勢が変化しつつあることにも、おそらくは気づいていなかったのでしょう。

彼の基本は、やはりあくまでも儒教でした。だから儒教において「仁事」と評価されることは非常に重要視します。仁政を目指すのは儒教の教えにかなったことだからです。しかし、その枠を一歩も出ていないのです。だから近代的な意味での優れた政治家とはとても言えません。

そういう意味でいうと、一部評価すべき点があるにせよ、全体的に吉宗が名君だったとは、私はとうてい言えないと思います。社会保障は、もちろん社会のセーフティネットとして必要です。しかし、それを推し進めて「大きな政府」になれば、どうしても官僚の腐敗や組織の硬直、そしてそれに基づく行政の無駄が広がってゆくのです。それは歴史が証明しています。それに気づかなかった吉宗が名君とあがめられ、規制緩和を進めようとして挫折した宗春は罪人として扱われてきたわけです。

一般社会の常識、人間としての常識を忘れていなければ、どちらが正しいか、あるいはどちらが名君となる可能性があったかは、一目瞭然なのではないでしょうか。

第十四章

田沼意次は本当に汚職政治家か

▼昔ながらのイメージがぬぐいされない理由

「あなたは、日本の政府がカジノや売春業で国家財政をうるおすことに賛成できますか？」

●分かりやすい田沼政治の評価

第十二章で、江戸時代の五代将軍徳川綱吉《つなよし》によって創出された側用人《そばようにん》という役職について触れましたが、その側用人が誕生したことで従来の老中《ろうじゅう》合議制の幕政が変化し、将軍の個性的な政治を実現したということがお分かりいただけたかと思います。

幕閣として有名な田沼意次《たぬまおきつぐ》も、この側用人出身です。その田沼政治は、一般に「超賄賂《わいろ》政治でとんでもない悪政だった」というイメージでとらえられているかと思います。

なにしろ当時、社会のあちこちで賄賂が横行し、風紀が乱れていたと言われていますが、それは権力の頂点に立つ田沼意次が賄賂を奨励し、賄賂の多い少ないで政治を左右するという究極の暗黒政治を行ったからだ、というわけです。

それに対して、田沼失脚後に老中となった松平定信《さだのぶ》は、清廉潔白な正しい政治家と一般には言われています。松平定信は、田沼時代に緩《ゆる》んだ綱紀を粛正し、寛政《かんせい》の改革を断行し、幕府の威信と世の中の平穏を取り戻した、といった評価です。田沼の批判と定信の評価は、常にセットで語られています。

田沼意次（牧之原市相良史料館蔵）

田沼意次や、いわゆる田沼政治についての一般的な評価やイメージは、現在の歴史教育では見直されてきていますが、社会人はいまだに次のような文言に影響されているでしょう。日本史教科書の副読本として参考にされた『詳説日本史研究』（山川出版社・一九七七年刊）という本の一節です。編著者は、東京大学教授から名誉教授というアカデミズムのメインストリートを歩んだ、戦後の日本を代表する歴史学者の一人、笠原一男《かさはらかずお》（一九一六〜二〇〇六）です（ルビは、小社編集部による）。

（田沼の政策は）役人の不正を生む危険性をはらんでいる。しかも、田沼自身が賄賂を当然のこととしておさめたので、賄賂政治は公然とおこなわれ、政治の腐敗はその極にたっした。これにおうじて風俗は華美となり、道徳は退廃し、世相は混乱をきわめた（中略）。1784年（天明4）、意次の子の意知《おきとも》（1749〜84）が江戸城中で旗本佐野政言《まさこと》に暗殺されるという事件がおこった。田沼の政治に強い不満をもっていた江戸市民は、これを天罰と観じたのであろう。佐野を〝世直し大明神〟ともてはやした。こうなってはさすがの意次も権力の座にはついておれなくなる。二年後、老中を罷免《ひめん》された意次は、将軍家治の死とともに閉門を命じられた。このとき、田沼排斥の急先鋒にたったのは、将軍吉宗の孫、白河藩主松平定信であった。

一目瞭然、とても分かりやすい説明で、田沼がいかに悪徳政治家であったかが

「すっきり」と分かります。

しかし、あまりにも分かりやすい話は、逆に疑ってみる必要があります。私に言わせれば、こうした田沼の評価はまったく見当違いの悪罵《あくば》だとしか思えません。その理由はおいおい語っていくことにします。

まず見逃されているのは、もともと一介の旗本に過ぎなかった田沼を抜擢し、思い切って全権を振るわせたのは誰かということです。

それは、八代将軍吉宗の息子で九代将軍家重《いえしげ》と、さらにその息子である十代将軍家治《いえはる》なのです。ということは、田沼のような悪人を重用したのだから家重、家治もバカ殿だったのだということになり、実際にそういうイメージで語られています。

しかし、それは本当なのでしょうか。言い換えれば、「田沼意次は本当に汚職政治家なのか？」ということです。

●鎖国と重商国家への転換

話は飛びますが、江戸幕府はなぜ滅んだのかを考えてみましょう。もちろんペリー来航以来の外圧などの影響もいろいろありますが、要するに幕府が近代的な政府に生まれ変わることができなかったということが、一番大きな原因だと言えます。

それは薩摩、長州と比べてみればよく分かります。国力＝石高の点で見れば、薩摩は表高《おもてだか》（名目上の石高）七十七万石、長州に至っては表高三十七万石しかありません。日本全体が約二千万石（江戸時代は開墾によって石高が増えた）として、幕府は最低でもその五分の一にあたる四百万石を直轄《ちょっかつ》支配しています。にもかかわらず、薩長あわせて約百十四万石がその四百万石に勝利してしまったわけですね。

なぜそんなことが可能だったのでしょうか。時の流れということもありますが、一番大きな理由は、その両藩とも経済・財政改革に成功して、国力が充実していたからです。では、その改革とは、具体的にはどのような改革だったのでしょうか。

一言で言えば、重農主義から重商主義への転換ということです。つまり、米中心の経済から、商業や貿易を重んじ、商品経済を中心に国の富を稼ぐという経済体制に転換したということなのです。

特に薩摩は、慶長《けいちょう》十四年（一六〇九）に琉球《りゅうきゅう》に侵攻して以来、琉球王国を実質的に支配下に置いて、幕府もこれを黙認していました。琉球との関係は薩摩藩にとって大変有利なカードでした。薩摩は江戸時代を通して、琉球を経由して密貿易を行い、膨大な利益を上げていたのです。

幕府も、薩摩と同じようにいち早く開国し、日本全体を農業経済から商業経済に切り替え、重商国家へと転換してさえいれば、あんなみじめなかたちで崩壊はしなかったと思います。

では、そういう方向転換が必要だと考えた人は、幕府には誰もいなかったのかというと、そうではありません。もちろん幕末にもなれば、勝海舟とか小栗上野介《おぐりこうずけのすけ》といった人材が現れますが、黒船の外圧が迫る以前に重商国家への転換が必要であることに気づいていたのは、他ならぬ田沼意次なのです。

田沼は、まさに米穀中心の経済からの脱却を目指し、商業を盛んにして、その利益を国家財政に充当すればいいと考えていたのです。

ところが彼は日本きっての「超賄賂政治家」ということになってしまっています。でもそうした賄賂にまつわる話は、元学習院大学教授で、江戸時代を中心とする社会経済史を研究した大石慎三郎《おおいししんざぶろう》（一九二三〜二〇〇四）の研究にもありますが、松平定信の時代になってしきりに喧伝《けんでん》されたことで、ほとんどが虚像なのです。

田沼政治が開国を目指したということは、同時代のオランダ商館長カピタンであるチチングの証言でも明らかです。田沼は貿易を再開しようとして、たとえばバタヴィア（現在のインドネシアの首都ジャカルタ）に船大工を送ってくれるよう依頼しようとしていたという記述があるといいます。

幕府は鎖国をしていたとか、鎖国は古来の決まりである「祖法《そほう》」だったとよく言われていますが、鎖国というのは具体的に言いますと「海外渡航禁止令」と「大船建造禁止令」によって、日本人の海外への渡航を禁止し、海外との交流を制限することで幕府が貿易を独占するという政策だったのです。ですから、貿易は幕府以外ではできないという限定的なものにとどまり、人々は自由に海外に渡ることもできず、外洋に漕ぎ出せるような大型船もつくってはならないという状況がずっと続いていました。

実は、日本でも戦国時代末期から江戸時代初期にかけては、外洋航海船をつくる技術というのは存在しました。なぜならばそのころの日本は西欧諸国との交流が盛んでしたし、他ならぬ初代将軍徳川家康の貿易・外交顧問はイギリス人のウィリアム・アダムズとオランダ人のヤン・ヨーステンだったのですから。確かウィリアム・アダムズに命じて三本マストの外洋航海船をつくらせたこともあるはずです。

ところが、鎖国をしたことによって、日本の造船技術は退化してしまいました。江戸時代を通じて、日本で使われていた船というのは沿岸航海ができるだけの船で、一本マストで甲板も竜骨《りゅうこつ》もない船でしたので、外洋航海にはとうてい耐え切れず、すぐ沈没してしまう危ない船だったのです。

　だから江戸時代の日本の船は、ちょっと嵐になるとすぐ外洋に流されてしまい、それきり帰ってこられませんでした。有名な大黒屋光太夫《だいこくやこうだゆう》やジョン万次郎が分かりやすい例ですね。

　ちょうど松平定信の時代、伊勢（現在の三重県）の船乗り・海運業者の大黒屋光太夫は、江戸に向かう途中、暴風に見舞われてアリューシャン列島に流れつき、やがてロシアへと連れて行かれ、保護されました。

　一方、幕末の土佐の漁師ジョン万次郎こと中浜万次郎は、やはり時化《しけ》で遭難して太平洋上の無人島――現在の鳥島です――に漂着したところをアメリカの捕鯨船に救助され、アメリカに渡りました。彼らは命をながらえた幸運な例で、おそらく、江戸時代を通じて何百何千という数の船人が、海の藻屑《もくず》となっているはずです。

　だからこそ、途絶えていた技術を復活させるために田沼は船大工を外国から呼ぼうとしていたわけです。これはまさしく慧眼《けいがん》でしょう。そういう田沼を、将軍家重とその子家治は、二代にわたって重用したのですから、彼らはけっして凡庸な将軍ではないのです。

　よく家重はバカ殿で暗愚だったと言われますが、本当にバカ殿だったら、老中に政治を任せっぱなしにしていればそれで済んだはずで、そもそも側用人などは必要ありません。つまり側用人を必要とする将軍というのは、自分の政治をやりたいから側用人を任命したはずで、もし必要なかったら、老中の言うとおりにハンコだけを押していればよかったのです。

側用人を活用した江戸時代の将軍というのは、名君かどうかはともかくとして、少なくともそれまでの流れを断ち切って自分の政治をやろうとした人であるということは間違いありません。

江戸中期以降になると、全国各地で一揆の数が増加しています。特に増加の傾向が見られるようになるのは、実は八代将軍吉宗の時代、享保《きようほう》年間くらいなのです。もちろん、自然災害や飢饉《ききん》が一揆を誘発したのは間違いありませんが、それと同時に、米に頼る経済というものが吉宗の時代頃を境に行き詰まりを見せていたということを示していると、私は思います。

だからこそ、田沼意次、そして将軍家重・家治ラインがやろうとしたこと、つまり貨幣経済に基礎を置いた重商主義への政策転換は、国家の基本を変えることであり、細かく言えば税制改革でもあります。

要するに幕府の財政というのは基本的に年貢のみによって成り立っていました。

農民から税金として取り立てた米が経済を動かしていたと言っても過言ではありません。これに対して、商業社会を確立することによって、その商業社会からも税金を取ろう、またその金で社会を活性化しようという発想が田沼にはありました。

のちに薩摩や長州がやって成功したことを、実はもう田沼はすでに考えていたということになります。そして、家重も家治も、少なくともそれを是認し、田沼に政治を任せるという選択をしたのです。

ところが、こうした政策は保守層の大反発を食らいました。なぜ保守層は反対したのでしょうか。実は皮肉なことに、幕府の創業者である徳川家康が政治支配の根本思想として掲げた朱子学の影響が大きかったと、私は見ています。

朱子学というのは、社会秩序、すなわち主君と家臣の間、親子間といった上下関係における倫理を重んじる思想で、要するに士農工商という言葉に象徴される社会階層＝秩序を非常に重視します。

つまり、この考えに従うならば、商業は一番下に位置づけられることになるわけです。極端に言えば、商売は悪いこと、身分の卑しい人間がやることになります。その身分の卑しい人間がやるということに、なぜ幕府が関与しなければいけないのか、それは世の秩序を乱す悪行ではないか、という発想が、江戸時代の社会、特に支配層を覆《おお》っていたのです。

現在とはあまりにも商業についての感覚が違うのでピンとこないかもしれませんが、たとえて言うならば、政府がカジノを開いたり、売春業をやったりするようなことではないでしょうか。

ですから、幕府の支配層は、朱子学的な立場から「商業は悪行である」「社会の秩序を保つためには、こういうものは許せん」と考え、田沼を失脚に追い込んでしまったというわけです。

●家康の意図が忘れ去られてしまった江戸中期

まず天明《てんめい》四年（一七八四）に、当時、若年寄《わかどしより》として父の意次を補佐していた息子の意知《おきとも》が、江戸城内で旗本の佐野政言《まさこと》に襲撃され、八日後に亡くなるという事件が起きました。これをきっかけに田沼政治に対する風当たりが激しくなり、権勢にかげりが見え始めます。

そして、将軍家治が病気で倒れると、周囲の思惑で意次は家治への目どおりもかなわなくなり、家治が亡くなると、その死を秘している間に将軍の命と称して無理やりに失脚させられてしまいます。これは完全な謀略です。謀略を用いてでも田沼降ろしを図ったのですから、田沼に対する幕府保守層の反発がいかに強かったかが分かると思います。

田沼に代わって権力の座についたのが、松平定信です。この人は名君と言われています。天明二〜八年（一七八二〜一七八八）にかけて起こった、江戸時代最大の飢饉と言われる天明の大飢饉の時、定信は自分が藩主を務める白河藩（現在の福島県白河市周辺）で、倹約令や領民に対する救済措置を講じて、餓死者を出さなかったとされています。天明の大飢饉の被害は、特に東北地方に集中していたので、白河藩で被害者が出なかったというのは、まったく異例の出来事でした。

松平定信（福島県立博物館蔵）

この功績は、確かに評価しなければなりません。ただし、それは現代で言えば県知事クラスの功績に過ぎません。彼は自分の藩を救うために、たとえば大坂で米を買い占めるようなことも一方ではしています。買い占めたほうはいいが、買い占められたほうは当然米が足りなくなったりしたはずで、結局のところ、定信は自分の藩だけが栄えればいいという非常に狭い考え方だったと言われても仕方ありません。国政のレベルでものを考えることができた人ではないので、すなわち、国政レベルでの名君だったわけではないのです。

ところが幕府保守層は、彼をどう見ていたかというと、まずその毛並みの良さに着目していました。定信はもともと、徳川吉宗《よしむね》の次男田安宗武《たやすむねたけ》の七男で、御三卿《ごさんきょう》の出です。一時は将軍家治の後継者と目されたこともあったという毛並みの良さでした。それにくらべると田沼意次などは、元を正せば足軽だったとか相撲取りだったという話もあるくらいで、ひどく見劣りがします。

そういう人間が側用人を経て老中にまで上り詰めたわけです。柳沢吉保《よしやす》も老中格ではありましたが、あくまで老中ではありません。ところが田沼は老中筆頭と側用人の両方の権力をもって国を動かしていたわけで、これはかなり独裁権力に近くなります。その力をもって、思うとおりの政治をやろうとしたのですが、その当時ですでに百何十年続いている鎖国路線というのを元へ戻すのは、やはりなかなか大変だったのではないでしょうか。

田沼本人も、息子の代までかかると思っていたと思います。しかし、その息子が

徳川家康（徳川記念財団蔵）

殺されてしまったことで、田沼本人も自分に反対する保守層や既存の政治体制と戦う気力をなくしてしまったのかもしれません。

保守層が田沼に反発した理由の最たるものが、非常に頑《かたく》なな朱子学の論理だったと、前に述べましたが、実はこれは家康の意図したところとは全く違っています。家康は確かにキリスト教は禁止したけれども、貿易をやめようとはしなかったのです。彼は信長、秀吉が行った政治のいいところも悪いところもつぶさに見て学んでいますから、貿易がいかに国を栄えさせるかということは知っていました。朱子学を重んじたとしても、決して貿易路線自体を否定しているわけではなかったのに、だんだん江戸時代の中頃になるとそうしたことが忘れられてしまいました。

ですから本来ならば、田沼意次も「神君家康公も貿易をやっていたではないか」「だから貿易を盛んにし、商業を盛んにし、米中心の経済から脱却することは、けっして悪いことではないのだ」と言えばよかったのです。ところがこの時代になると、みんな家康がやっていたことを忘れてしまっているのです。

●拭えない悪政のイメージ

現在では、あくまでも研究者のレベルではだいぶ見直しは進んできたと思いますが、それでも田沼が賄賂政治の悪政で、松平定信が名君だというイメージは根強くあります。

松平定信のやったことというのは、田沼改革の徹底的な否定です。そして目指したのは米穀経済の復活です。松平定信の手がけた改革は「寛政の改革」と言いますが、その改革は、以上のような理由から、実は「改悪」であったと私は思っています。

結局のところ、徳川吉宗の「享保の改革」にせよ、「人返し令」によって農業に専念することを求めた水野忠邦《ただくに》の「天保《てんぽう》の改革」にせよ、本質的には定信の「寛政の改革」と同じなのです。

こうした「改悪」の結果、逆に幕府の寿命は縮まったというのが、私の見立てなのです。

おそらく多くの歴史学者は、田沼政治を評価しているのだと言うでしょう。しかし、大方のイメージがあいも変わらず田沼＝賄賂政治という図式に染まってしまっているのは、彼らにも責任があります。プロの研究者（たとえば大学の先生）は、研究者であると同時に教育者でもあるはずです。学生に対する教育もそうですし、一般社会に向けての啓蒙だって、社会教育という側面があるはずです。「自分は分かっている」といくら言い張ったところで、それが社会に浸透せずに、昔ながらの誤ったイメージが垂れ流されているのだとしたら、教育者として恥じるところではないでしょうか。

私が田沼政治を改めて評価するのは、そういった歴史学界のあり方への「異議申し立て」という含意もあることを、ご理解いただきたいと思います。

第十五章

明治維新はなぜ十五年もかかったのか

▼朱子学による非現実的な空理空論

「あなたは、数百年前の防犯・防災道具が今の時代で使えると思いますか？」

●明治維新はいつからいつまで？

明治維新というと、戦後の歴史学では一つの「革命」だったとする考え方が主流です。市民革命とかブルジョア革命とか、さまざまな位置づけがなされていますが、そういったカテゴリーは、本来日本の実態とはまったく関係のない西欧の歴史に即してつくられた用語なので、明治維新がそのカテゴリーのどれにあてはまるかを議論するのは、あまり意味がないと思います。

しかし、そうした論争を延々と繰り返してきたのが、近代歴史学なのです。

そういったレッテル貼りはとりあえず無視しても、明治維新が歴史の大変革だったことは間違いありません。政治体制が根本からひっくり返ってしまったわけですから。

明治維新はいつ起きたのか。これは慶応《けいおう》三年（一八六七）に徳川幕府が倒れて王政復古の大号令が出されているので、この年からであると考えます。

それでは明治維新はいつを契機に始まったのか、というと、さまざまな議論があるのですが、大雑把に言うと、やはり嘉永《かえい》六年（一八五三）のペリー来航がスタート地点だったとする見方が主流だと思います。つまり、明治維新は十五年かかって成し遂げられたと見ることができます。

もちろん、アメリカの軍人であるペリーが徳川幕府を倒したわけではありませんが、黒船来航に端を発する一連の騒動が幕府の根幹を揺るがし、新しい政治体制を求める全国的な運動を引き起こしたのは間違いありません。つまり、明治維新につながる国家変動をもたらしたもっとも大きなファクターは、黒船だったということになります。

●「攘夷」という熱病

では具体的に、黒船の出現によって、日本はどう変わったのか。それは「攘《じょう》夷《い》」という巨大なイデオロギーを生み出し、現在の視点から見れば、「対外的な危機意識がナショナリズムを刺激して、外国に対する攻撃的な心情を呼び覚ました」と簡単にまとめてしまうことができます。

これは、たとえば北朝鮮による拉《ら》致《ち》問題やテポドン発射という「事件」が、平和ボケした国民意識に刺激を与えて、国防や国家の存立ということに目を向けさせたことに方向性としては似ています。

平和憲法を維持して軍隊を持たなければ、日本を攻めてくる国などありはしないと、かなりの数の国民が思い込んでいますが、このような突然の黒船来航や北朝鮮のことから考えてみても、そんな思い込みは何の根拠もないことがわかります。それどころか、歴史をきっちりと直視するならば、外国からの脅威がないという牧歌的な時代はきわめて限られていたことはすぐわかります。

現代における北朝鮮は、未だに個人崇拝や一党独裁、国家権力の世襲が平気で行われているという世界でもっとも特殊な国ではありますが、まったく未知のエイリアンではありません。それにくらべると、黒船来航時に日本人が感じた恐怖と警戒心、そしてその裏返しとしての対抗意識や憎悪の念は、現代人では想像もできないものだったと思います。

そして、その黒船ショックによって、日本国中に攘夷、つまり外国の人を排斥しよう、日本から追い出そうという非常に攻撃的な意識が熱狂的に巻き起こり、これに反対しようものなら、ただちに国賊、売国奴と悪罵《あくば》を放たれることになりました。悪口を言われるだけならまだましで、天誅《てんちゅう》と称して暗殺された人も少なくありません。

またよく幕末は、開国派と攘夷派の争いがあった、という言われ方をしますが、これは正確ではありません。極端に言えば、日本国中がいったんは攘夷の熱狂に覆われてしまったという方が正しいでしょう。

幕府を倒して朝廷に政権を取り戻そうという意識が全国的に高まってくるのは、実はもう少しあとのことで、「まずは外国を打ち倒そう。日本人としての誇りを取り戻そう」という熱情が、それこそ熱病のように日本中を席巻していました。一億総攘夷と言っても差し支えありません。

なぜ日本人は攘夷をしなければならないと強烈に感じたのか。それは日本が約二百三十年もの間ずっと外国との接触を拒み、鎖国をしていたからです。もちろん鎖国といっても、この言葉は十八世紀頃に日本のことを書いた外国の書物に出てくる言葉であって、江戸時代の日本が外国に対してまったく国を閉ざしていたわけではありません。長崎の出島《でじま》や琉球《りゅうきゅう》などにおいては、貿易も行われていました。ただそれは、幕府や薩摩藩のような一部の権力による完全な支配のもとで限定的に行われていたもので、自由貿易とはまるで違います。

●攘夷を生み出した思想的背景

それを踏まえたうえで、私は幕末の最大の問題点はなんだったかと聞かれれば、当時の日本（江戸時代）ではちゃんと歴史を教えてこなかったことと考えています。突拍子もないことを言うと思われるかもしれませんが、江戸時代の人々は、軍記物語や『太閤記』のような歴史物語には親しんでいましたが、本当の意味で歴史を学ぶということはついぞなかったのです。

たとえば江戸時代、鎖国が続いて外国との交流が制限されている間に、日本国内では幕府が自らの支配イデオロギーとして公認した朱子学と、日本古来の神道とが合体するという事態が起こっていました。日本の神道というのは、本来仏教と合体して神仏習合をしたように、非常にフレキシブルなもので、どんなものでも受け入れるという融通無碍《むげ》な存在でした。

それは、西洋のものでもなんでもきれいに受け入れて、和式に変えてしまうという日本人の民族性や伝統に見合った教えだったと思います。

卑近な例で言えば、カレーライスなどは典型的です。イギリス経由で入ってきたインド料理であるにもかかわらず、今や日本人の料理と言っても過言ではないほど浸透しています。そういう民族の根本に神道というものがあると思うのです。

ところが、朱子学というのはどちらかというと一神教的です。もちろん、唯一絶対神を奉ることはありませんので一神教ではないのですが、非常に排他性、独善性の強い哲学であるという意味で、一神教的な側面を持っています。

朱子学は中国古来の儒教の一派で、南宋の時代の朱熹《しゅき》という人物が完成させたものです。旧来の儒学に哲学的な要素を加えた壮大な哲学体系と言われていますが、時代背景によって規定される大きな特徴——はっきり言えば欠点——があります。

朱熹が生まれた時代の南宋の国は、北方異民族の「金《きん》」という国に常に圧迫され、臣下の礼さえとらなければならないような弱い国でした。漢民族の誇りは著しく傷つけられたのです。

そうした時代背景のもとに生まれた朱子学は、漢民族の民族主義や愛国心の高まりを如実に反映し、南宋の国は「世界でもっとも優れた民族である漢民族を、野蛮な異民族が支配することなどあってはならないことである」という強烈な自負と思い込みに塗り固められていたのです。

そのために、朱子学にかぶれた人は自国の文化やものの考え方を過度に誇示する傾向があり、さらに言えば、君臣や親子の間における秩序や序列を重んじ、そうした「名分」を否定するような考え方や民族を不当に貶《おとし》め、蔑視するようになったのです。

君臣の秩序を重んじるという部分は、まさに幕藩体制の支配者である幕府にとっては都合のよろしい思想なのです。しかし、自分だけが正しい、正しいのであるから負けるはずがないという思い込みは、現実を無視した空理空論に結びつきやすい。

太平洋戦争の末期、すでに劣勢に立たされた日本では、敵機の空襲に備えて竹やりの訓練があちこちで行われました。冷静に考えれば、そんなことが何の役にも立たないことは誰でもわかります。しかし、朱子学的な熱情に浮かれた人にとっては、ムダであろうとなかろうと、それは「正しいこと」であって、それに異を唱えるのは「非国民」ということになってしまうのです。

戦争というものは、国民的な熱狂を背景にして起きることが多いのは確かですが、戦いを継続し勝利を収めるためには、あるいは敗戦の痛手を最小限に抑えるためには冷静な現実認識と客観的な判断が必須なのです。

●イデオロギーのマイナス面

その朱子学と日本古来の神道が合体して、それまでの神道とは違った非寛容的な思想が出来上がってきました。その結果、朱子学そのものが日本にとっては外国の教えであるにもかかわらず、「外国のものは汚れている。外国人は穢《けが》れた存在だ」というような考え方が浸透していきました。

おりから、古典研究から始まった新しい学問として、日本古来の伝統や思想を見直そうという「国学」という学問の潮流が生まれてきました。本居宣長《もとおりのりなが》や平田篤胤《あつたね》がその代表的な研究者、主唱者として知られています。そしてその国学と朱子学、そして神道が、もちろんそれぞれ別個の思想的基盤と内容を持つにもかかわらず、江戸中期以降、奇妙な融合を見せてきました。

本来、国学は外来思想を批判するところからスタートした学問ですので、儒教の一派である朱子学とは相容れないはずなのです。にもかかわらず、黒船に象徴される外国の存在を否定し、下に見るという排他的な思想面において、非常に不幸な形でそれらのイデオロギーは重なってしまったと言えます。

すなわち、幕末の日本を覆った攘夷という思想は、こうした江戸時代に醸成《じょうせい》されたさまざまな思想的要素を融合することによって生み出された、排他的かつ独善的でもある思想だったのです。

ですから、外国との接触を長い間拒んでいた幕末の日本では、「日本は神州（神の治める国）である。その清らかな国である神州を、夷狄《いてき》（異国）の悪い奴らが入ってきて蹂躙《じゅうりん》しようとしている。だからああいうものは一人残らず叩き斬って追い出すべきである」という結論に至ってしまったわけです。ちなみに、この考えの「清らかな国」という部分には、神道における、穢れを嫌い、清浄を重んじる思想の影響も見て取れます。

朱子学的なイデオロギーに神道思想が絡《から》まり、マイナス面が顕《あら》わになってくる場合もあります。たとえば『日本書紀』には神功《じんぐう》皇后は新羅《しらぎ》を征服したと書いてあります。これは歴史的事実ではないと私は思いますが、国学的な古典絶対主義者にとっては、『日本書紀』にこう書いてあるのだから、正しいのだということになります。まさに古典原理主義です。

そして明治から昭和初期（戦前）にかけては、神功皇后が朝鮮を支配したという「歴史」があるのだから、近代国家の大日本帝国が朝鮮をまた征服すべきだ、という議論が現実に起こったわけです。

明治政府の朝鮮に対する高圧的な姿勢の底に流れているのは、そういう現実から遊離した愉悦感や差別意識だったと言ってもいいと思います。

これは功罪の罪の部分で、特に平田篤胤《あつたね》のような激しい思想家になると、非常に排他的な部分が強調されてきます。それがまた水戸学のイデオロギーとつながって、神州不滅とか、神州はかつて夷狄どもに汚されたことはないのだ、という歴史的事実とはまったく違う思い込みを持ってしまうことになりました。思い込むだけならいいのですが、それは現実の政治や外交、民族問題に影を落とすという危険があるだけに、大変な問題をはらんでいるのです。

●誰も歴史を知らなかった

先ほど、最大の問題は歴史を教えてこなかったことだと言いましたが、それについて具体的にご説明しましょう。

攘夷論の高まりによって開国をめぐり国中が議論百出して右往左往していたとき、「徳川家康の頃は、日本は自由に外国と貿易していて、たとえば家康の外交顧問にはウィリアム・アダムズというイギリス人がいた」という「歴史的事実」を口にした人はただの一人もいませんでした。それを思い出した人さえいなかったのではないでしょうか。

つまり、誰も知らなかったのです。星の数ほどいる旗本や大名の中にはただ一人としてそういった歴史的事実を例に挙げて冷静な対応を唱えた人はいませんでした。あの勝海舟でさえ、そういうことを言った形跡はありません。

勝海舟は、もちろん独善的な攘夷論者ではなく、国を開き、外国の文物を受け入れることによって、西欧と肩を並べる強国になろうと目指したリアリストであり、広義の攘夷論者と考えるべきでしょう。その海舟であっても、自国の歴史を冷静に見つめ、攘夷をめぐる熱狂を鎮めようという知恵はなかったのです。

一言だけ付け加えるならば、長州藩士の長井雅楽《ながいうた》という人がいましたが、彼は積極的な開国論者で、「航海遠略策」という政策を唱えたことで知られています。

この策は、「幕府のように小手先の開港をするのではなく、積極的に外交・貿易を進めて、世界に対抗できる国家をつくろう。そのためには幕府と朝廷が一緒になって、ことに当たらなければならない」という内容でした。長井は、当時の世界情勢を冷静に分析し、いったん結んだ条約を破棄して外国との通交を断つことが、現実的には不可能であることを見抜いていました。しかも、鎖国という政策は、島原

東京駅近く八重洲通りの中央分離帯にあるヤン・ヨーステンの記念碑

の乱に怖れを抱いた幕府がとっさにとった策であり、「鎖国はたかだか三百年(実際は二百三十年程度)の歴史しかない。けっして日本固有の歴史的な政策などでない」と喝破しているのです。

ところが、当時のほとんどの人は、たとえ知識人であっても、鎖国というのは国の当初から、まさに奈良、飛鳥の時代からの国法(国是)だとみんな思い込んでいるのです。当時は「鎖国は祖法」という言い方をしていて、変えてはいけないものなのだ、という思い込みがありました。ところが、それは事実として全然違い、むしろ日本という国は、いろいろな国々と貿易していたし、少なくとも江戸初期にはずいぶん開けていたのです。

前にも述べたように徳川家康は、キリスト教は否定しましたが、明らかに貿易論者でした。だからウィリアム・アダムズやヤン・ヨーステンという貿易顧問もいたわけですし、メキシコに使節を送ったりもしているのです。

しかしキリスト教は、絶対神への帰依《きえ》を唱える宗教ですから、幕藩体制の支配イデオロギーを相対化してしまう可能性がありました。つまり、殿様よりも、将軍様よりも、神を上位においてしまうわけですから、幕府としては非常に都合が悪い。ですから、秀吉がキリシタンを禁じたように、家康もまた、キリスト教は絶対に受け入れることはできなかったのです。

以上の歴史的事実から、開国問題で日本が揺れているとき、もし一言でも「神君家康公を見ろ」と誰かが言っていたなら、攘夷をめぐる大混乱も起きなかったかもしれません。日本の開国と近代化はもっとスムーズに進行したでしょう。

そうなると、旧来の封建領主である幕府は、そのままの形で存続することはできなかったと思いますが、尊王と佐幕という対立には至らず、国民各層の要望に応じた新しい政治政体が志向され、たとえば公武合体により諸藩の連合政権ができていたかもしれません。

いずれにせよ、現実の歴史において、明治維新は十五年かかりました。これを長くかかったと見るか、それだけで済んだと見るべきかは議論が分かれますが、鎌倉幕府や室町幕府が武力行使によるクーデターによって、一挙に成し遂げられたこととくらべると、ずいぶんと長くかかったと見ることもできるでしょう。

ところが、歴史をきちんと学んで、鎖国は祖法などではない。他ならぬ幕府の創業者である家康自身が、開国論者だったのだということが周知されていれば、いずれにせよ明治維新が十五年もかかるということはなかったはずなのです。

●軍事的センスをなくしていた幕末の日本人

現実を直視できず、攘夷を叫んだ理由の一つとして、武士の軍事的知識の欠如があります。

徳川綱吉《つなよし》のところで江戸時代の後期は「なまくら武士」が非常に多くなったと述べましたが、この「なまくら武士」が育った原因に、徳川家康による武士の職務内容の転換策が挙げられます。

秀吉の朝鮮出兵やその後に起きた関ヶ原の戦いや大坂の陣の戦いにより、多くの兵士（軍人）が死にましたが、依然として余剰の兵士がいるという状況は解決されませんでした。家康はこの状況をどういうふうに解決したかというと、職務内容を完全に転換してしまったのです。

要するに武士というのは本来戦争が仕事なのですが、その戦争が天下統一により いきなりなくなってしまいましたので、武士は食べていくことができず、不満がた まり、反乱を起こす可能性すらあるという状況でした。

余剰の兵士の解決策として、秀吉はというとあえて新たに戦争を創出するような ことをやりました。しかし、家康はどうしたかというと、「お前は刀を差している 武士だけど、軍人ではなく、これからは官僚をやりなさい」と言いました。つま り、「算盤《そろばん》勘定をしなさい」とかの事務方、あるいは「御殿の警備をしなさい」と かの警備員です。これは本来武士のやることではないのですが職種の内容を変え て、それ以外のことをやらせたのです。これは家康の功績の一つです。

たとえば、よく説明の材料にするのですが、「馬廻り《うままわ》」という役職がどの藩でも あります。馬廻りというのは大藩でしたら二百石ぐらい、小さな藩でしたら五十石 ぐらいの職分ですが、本来は戦争のときに主君の周りを警備する役目（親衛隊）です。 ところが、その戦争がないわけですから、江戸時代の馬廻りというのは何をやっ たかというと、家老職として事務方をやったり、それこそ御殿の警備をやったり、 あるいは物産の管理をやったりと、いわゆる官僚仕事をやったのです。

新選組の近藤勇（左）と土方歳三（右）

秀吉は兵士が多数余った解決策として、武器を持った奴は反乱を起こす可能性があるので無理にクビにできませんから、その代わりに新しい仕事をつくろうと思って戦争を始めました。それに対して家康は「お前たち、別の仕事をしなさい」ということで、そのままクビは切らず、雇用は確保しつつ職務内容の転換ということをやらせたのです。

これがいかに薬が効いたかというと、まさに幕末に如実に表れます。尊王論の高まりの中で十四代将軍家茂《いえもち》が朝廷に挨拶に行くため、三代将軍の家光以来、初めて京都に行くということになりましたが、その将軍を命をかけてお守りするという武士がいなくなってしまっていたのです。京都にある二条城も空き家同然の状態だったと言われます。

ところが、その頃の京都には不逞《ふてい》の浪士、今で言えばテロリストが横行してるから、将軍の身が危険ではないかとなったときに、江戸には腕っぷしの強い浪人がたくさんいるからこいつらを集めて浪士隊を結成したらどうかということになりました。この浪士隊の一部がのちにあの近藤勇《こんどういさみ》や土方歳三《ひじかたとしぞう》を中心とする新選組になっていきます。しかし、これは本来絶対にあり得ない話です。

なぜなら幕府には将軍をお守りする旗本がちゃんといるからです。彼らは先祖代々将軍を守るために禄をもらい続けてきて、旗本八万騎とも言われていました。しかし、そういう人間（旗本）がいるのに、「それ以外の浪人になんで外注しなければいけないのか」ということを言った奴が実はいなかったのです。つまり、それだけ江戸時代では、武士の官僚化がかなり進んでいたのです。

本来ならば旗本は全部集まって、「なんで俺たちがいるのに、こともあろうに将軍様の警護を浪士隊なんかに任せるのか。バカにするな」という話になってもいいのにならなかったというのは、家康のやり方が実に上手くいっていたということです。

それは諸藩も同じで、たとえば長州藩の高杉晋作《たかすぎしんさく》が奇兵隊をつくったのも結局そうです。ですから奇兵隊と新選組というのは敵味方ですが、出てきた理由は同じなのです。既成の武士が頼りにならないということです。

このようなことから、長州や薩摩といった外様の大藩が、ガタガタになった徳川幕府を武力行使によるクーデターで、すぐに倒すことができなかったのも、両藩ともあまりに武士の官僚化が進んでしまったからだとも考えられます。

また、軍事の知識を持った真の武士であるならば、黒船など強大な軍事力を持つ外国勢力に向かって、攘夷を叫んで立ち向かうことが、いかに現実から離れているかが分かると思います。まさに海外情勢をよく知った上級武士は別にして、幕末武士のほとんどすべては、こうした軍事的センスさえも完全になくしていたのでした。

●何百年前の防犯・防災道具

鎖国という政策は、確かに十七世紀の初頭という時代においては、有効な政策だったかもしれません。鎖国のおかげで、幕府は東アジアの国際情勢に左右されたりする危険は回避できましたし、国内産業も独自の発展を遂げることができました。

つまり、その当時は日本を守る優秀な防犯・防災道具だったと思います。しかし、それが二百年以上ものちに、同じ価値を持ちえるということは、基本的には考えられないのです。それは常識で考えればわかることです。

ところが、幕末の日本人は、何しろ黒船ショックに打ちのめされて意気消沈するか、危機意識をバネに外国を貶《おとし》めて自国をひたすらに誇る夜郎自大《やろうじだい》になるかで、当たり前の常識に基づいて、歴史を冷静に分析することができなかったのです。

当時の人々は、ある意味同情すべき点もあります。冷静な判断力を失うほど、黒船の衝撃は大きかったのですから。しかし、現代の歴史学者が当たり前の常識を見失って、明治維新が十五年もかかってしまった理由を分析できないのは問題です。

彼らが議論する「封建革命だ。いやブルジョア革命だ」という議論は、先に述べたようにまったくの机上の空論でしかありません。そんなことよりも、何百年も前の防犯・防災道具は、普通は使い物にはならないのだという常識にしたがって、幕末という時代を見つめるべきなのです。

そうすれば、当時の人々が、いかに自己の歴史を知らず、歴史を生かせなかったのか、そしてそのために不必要な混乱と対立を招いて、結果として時代の変革を遅らせてしまったのかが見えてくるはずなのです。

それによって、歴史を正しく学ぶことがいかに大事かが改めてクローズアップされるでしょう。しかもその場合の「学ぶ」ということは、ただ史料に出てくる「事実」を鵜呑みにして、「史料」を作り出した（残した）人の意図にまんまと乗せられてしまうのでは、意味がありません。

また同時に、「史料に出ていないから」と言うだけで、口をつぐんでしまうのでは、歴史の本質は見えてきません。

歴史は確かに専門的に取り組もうとすれば、難しい史料も読めなくてはなりませんし、さまざまな決まりごとについての膨大な知識も必要とされるかもしれません。しかし、その「専門性」に寄りかかってしまった結果、当たり前の人間の常識や、社会通念で理解されることが、いつのまにか忘れられてしまうことは少なくありません。

専門家であるならばこそ、そういう危険に自覚的であって欲しいと私は心から思うのです。私自身、専門家（学者）に対する敬意は、常に失ったことはありません。むしろ敬意を抱くからこそ、専門家が陥る落とし穴について、誰かが警鐘を鳴らす必要があると痛切に感じ、そしてその役割を自分が果たすべきだという使命感を抱いているのです。

歴史学者の方々、研究者、そして学校の教師には、ずいぶんと耳が痛いであろうことを書き連ねましたが、私の真意をぜひともお汲み取りいただきたいと切望しております。

あとがき

「イラク国家は大量破壊兵器を所有しており、これは世界の平和に対する重大な脅威である」

アメリカ合衆国はこのように宣言し、二〇〇三年、その宣言を信じた同盟国と共にイラクに侵攻した。

この政府見解、つまり昔なら「正史（国が作った歴史書）」に事実として記載されることが、本当に真実だったかどうか？　よほどニュースにうといという人でも知っているだろう。「そんなものは影も形も無かった」のである。

なぜ、バレたか？

アメリカは一応、民主主義国である。政権交代もある。だから、いかに政府見解といってもウソは隠し通せない。もちろん、マスコミもある。だから、「大量破壊兵器はあった」という「ウソ」は維持できなかった。

　では、近代以前、今から一千年以上前だったらどうか？

　政権交代もない、マスコミもない。それどころか個人が手記の形で残すことすら困難だ。これについては「民間伝承」という形で残っていく可能性はゼロではないが、それにしても難しい——このことって、中学生でもわかる常識ではないだろうか？

　筆者はマスコミ出身だが、歴史学については正規の教育を受けた人間ではない。大学も法学部出身であって文学部歴史学科ではない。それがなぜプロ（玄人）の歴史学者の向こうを張って日本史を書いているかといえば、「プロ」が、この常識がわかっていない、ということに気が付いたからなのである。

　たとえば序章のテーマだが、私は天智《てんじ》天皇は暗殺され、そのあと弘文《こうぶん》天皇（いわゆる大友皇子《おおとものおうじ》）も壬申《じんしん》の乱で殺されて、大海人皇子《おおあまのおうじ》（天武《てんむ》天皇）が天下を乗っ取ったのだと考えている。

　しかし、歴史学者の多くはそれを「トンデモ学説」として否定する。その理由が珍妙で「正史（『日本書紀』）」にはそう書かれていないからだとおっしゃるのだ。

　つまり、端的に言えば、先生方は中学生でもわかる常識がわかっていない、ということだ。息子(舎人親王)が父親(天武天皇)の悪をストレートに書くはずがない、ということがなぜわからないのだろう。二十一世紀になってすら、自国の戦争を正当化するためにミエミエのウソをつく国があるというのに。

もちろん、私は『日本書紀』が信用できないからといって、まったく根拠の無いことをも好き勝手にデッチ上げて述べているわけではない。

「天智暗殺」という一つの「殺人事件」の可能性があったとすれば、それが当時の状況から見て有り得たことなのか。また動機のある人物はいたのか？　犯行は可能だったのか？　共犯者はいるのか？　という問題点を、出来うる限り集めて分析した結果、「天智は暗殺された可能性が非常に高い」と結論づけたのだ（この間の分析・論証は拙著『逆説の日本史』第2巻古代怨霊編〈小学館刊〉に詳しい。興味のある方はこちらをご覧下さい）。

それを、そんなのは「推論」に過ぎないし、「正史」を否定する力はない、として一顧だにしないのが、現代の日本歴史学なのである。

「正史は何が何でも正しい」か、それとも「可能な限り状況等を分析し、常識と知恵で構成した推論」の方が事実に近いと考えるべきか。とりあえずは読者の判断にゆだねておこう。

それにしても、歴史学界の先生方、もう少し柔軟な考え方はできないものか。「柔らかい」ということは必ずしも学問の厳密性を損なうものではないと思うのだが――。

残念でならない。

二〇〇九年六月

井沢元彦

文庫版あとがき

学校で習うのは基本的に知識である。知識というのは、無いよりはあった方がよく、増えれば増えるほど役に立つと一応は言える。しかし本当はそうではない。なぜなら知識と言うのは、言ってみれば乾燥食品のようなもので、食べられないことはないが本当に美味しく食べるためには、煮たり焼いたりお湯に浸したり様々な手間が必要だからだ。

つまり知識というのは教えやすくするために、簡略化抽象化されておりそれを乾燥にたとえたのだが、ではそれをおいしくするものは何か？

それは知恵である。知識と知恵は似ているようでまったく違う。知恵というのはむしろ知識をいかにうまく使いこなすかというコツのようなものだ。

だが、知識はともかく知恵というものはなかなか表現しづらいものでもある。ということは本でそれを知るということは難しいということでもある。しかしながら、本に書きやすい知恵というものもむろんある。それが歴史のもたらす知恵である。この本を読んでいただければ、人間、表面的な知識を学ぶだけではいかに物事の本質に迫れないか、迫るどころか大きな誤解をしかねないということ。そして知恵を働かせればそうした失敗を免れるということが分かっていただけると思うし、そう思っていただければこの本を世に問うた甲斐もあったというものである。

二〇一二年二月

井沢元彦

著者紹介

井沢元彦（いざわ　もとひこ）
昭和29年、愛知県名古屋市生まれ。早稲田大学法学部卒業。ＴＢＳ入社後、報道局放送記者時代、『猿丸幻視行（さるまるげんしこう）』にて第26回江戸川乱歩賞受賞（26歳）、31歳にて退社、執筆活動に専念。以後、歴史推理、ノンフィクションに独自の世界を開拓。現在、『週刊ポスト』に連載中の『逆説の日本史』は900回を突破し、2011年にはウェブ上に『逆説の世界史』も連載開始。一方、テレビ、ラジオにも幅広く出演中。現在、大正大学表現学部客員教授。日本推理作家協会、日本ペンクラブ会員。
主な著書に、『言霊（ことだま）』『逆説の日本史１～17』『恨（ハン）の法廷』『ユダヤ・キリスト・イスラム集中講座』『中国　地球人類の難題』などがある。

この作品は、二〇〇九年七月にＰＨＰエディターズ・グループから刊行された『「常識」の日本史』を改題し、加筆・修正したものである。

ＰＨＰ文庫　「誤解」の日本史

2012年3月19日　第1版第1刷
2013年4月8日　第1版第7刷

著　者　井沢元彦
発行者　小林成彦
発行所　株式会社ＰＨＰ研究所
東京本部　〒102-8331　千代田区一番町21
文庫出版部　☎03-3239-6259(編集)
普及一部　☎03-3239-6233(販売)
京都本部　〒601-8411　京都市南区西九条北ノ内町11

PHP INTERFACE　http://www.php.co.jp/

組　版　株式会社PHPエディターズ・グループ
印刷所
製本所　凸版印刷株式会社

ISBN978-4-569-67787-3

PHP文庫好評既刊

「戦国武将」がよくわかる本

株式会社レッカ社 編著

伊達政宗、長宗我部元親、真田幸村……。今人気の戦国武将の横顔とエピソードをふんだんに盛り込んだ、戦国初心者のための武将ガイド。

定価六八〇円
（本体六四八円）
税五％